CAPOEIRA ANGOLA

DO INICIANTE AO MESTRE

Universidade Federal da Bahia

Reitor
Naomar de Almeida Filho

Vice-reitor
Francisco José Gomes Mesquita

Editora da UFBA

Diretora
Flávia M. Garcia Rosa

Conselho Editorial
Antônio Virgílio Bittencourt Bastos
Arivaldo Leão de Amorim
Aurino Ribeiro Filho
Cid Seixas Fraga Filho
Fernando da Rocha Peres
Mirella Márcia Longo Vieira Lima

Suplentes
Cecília Maria Bacelar Sardenberg
João Augusto de Lima Rocha
Leda Maria Muhana Iannitelli
Maria Vidal de Negreiros Camargo
Naomar de Almeida Filho
Nelson Fernandes de Oliveira

José Luiz Oliveira Cruz
(Mestre Bola Sete)

CAPOEIRA ANGOLA

DO INICIANTE AO MESTRE

2ª reimpressão

Rio de Janeiro
2010

Copyright © 2003, by:
José Luiz Oliveira Cruz (Mestre Bola Sete)

Direitos para esta edição cedidos à Editora da universidade Federal da Bahia e à Pallas Editora e Distribuidora Ltda.
Feito o depósito legal.

Edufba
Preparação de originais
Tânia de Aragão Bezerra
Magel Castilho de Carvalho

Capa e editoração
Rodrigo Oyarzábal Schlabitz

Pallas Editora
Produção editorial
Pallas Editora

Revisão
Marcos Roque

Fotos
Eulálio Cohim Hereda Freitas (Cruzeiro de São Francisco)
Evanilda Carvalho da Costa (Lua Nova)
Arquivo Mestre Bola Sete

Todos os direitos reservados à Pallas Editora e Distribuidora Ltda. É vetada a reprodução por qualquer meio mecânico, eletrônico, xerográfico etc., sem a permissão por escrito da editora, de parte ou totalidade do material escrito.

BIBLIOTECA CENTRAL - UFBA

C957
1ª ed.
2ª reimp.

Cruz, José Luiz Oliveira.
    Capoeira de angola: do iniciante ao mestre / José Luiz Oliveira Cruz (Mestre Bola Sete). - Salvador : EDUFBA : Pallas, 2010.
    p.: 156 il.

    ISBN   978-85-232-0291-0
            978-85-347-0355-0

    I. Capoeira – Manuais, guias etc. 2. Capoeira – Aprendizagem – Bahia. I. Mestre Bola Sete. II. Universidade Federal da Bahia. III. Título.

                                    CDD 793.31
                                    CDU 793.31

EDUFBA
Rua Barão de Geremoabo, s/n – Campus de Ondina
CEP 40170-290 – Salvador – BA
Tel./fax : (71) 3263-6164
www.edufba.ufba.br
edufba@ufba.br

Pallas Editora e Distribuidora Ltda.
Rua Frederico de Albuquerque, 56 – Higienópolis
CEP 21050-840 – Rio de Janeiro – RJ
Tel./fax: (021) 2270-0186
www.pallaseditora.com.br
pallas@pallaseditora.com.br

Aos alunos que acreditaram na minha forma de ensino, de acordo com a filosofia do Mestre Pastinha e baseada nos sete conjuntos de seqüências e passagens tradicionais utilizados no Centro de Cultura da Capoeira Tradicional Bahiana, na certeza de que darão continuidade ao meu trabalho, dentro dos fundamentos da capoeira angola.

Apresentação

A finalidade maior deste livro é a de podermos contar com um manual bastante simples e prático, que poderá ser consultado sempre que for necessário, onde coloquei uma forma de ensino bem estruturada, baseada nos ensinamentos dos antigos mestres baianos e, portanto, de acordo com as nossas tradições.

Entretanto, isto não significa que devemos seguir à risca toda a sua trajetória, com atitudes inflexíveis, e sim maleáveis, de acordo com o objetivo de cada um, deixando prevalecer o bom senso toda vez que uma situação difícil se apresente, exigindo uma definição.

Devemos ter plena consciência de que cada caso é um caso, que deve ser examinado separadamente, para que possamos passar por todas as fases de aprendizagem da capoeira angola com a certeza de termos cumprido satisfatoriamente a nossa missão.

Bola Sete

Sumário

Apresentação 11

Prefácio 13

Introdução 15

Capítulo I
A forma de ensino tradicional 33

Capítulo II
Normas de jogo e de bateria 43

Capítulo III
Sessão de ginástica 47

Capítulo IV
Fases de aprendizagem e classificação 55

Capítulo V
Local de vadiação 131

Capítulo VI
Reflexões filosóficas 133

Capítulo VII
Considerações finais 149

Capítulo VIII
**Última página:
a vida material e espiritual é ajustada ao sete** 153

Querer é Fazer

O querer é a certeza que se planta na mente; o fazer é trabalhar, para ver brotar da terra a semente.

Bola Sete

Prefácio

Meu Mestre Bola Sete

Quem decifra os segredos do Destino é o Tempo. E a vida vem me tornando a cada dia mais baiano. Vários motivos levaram a isso, mas um dos mais importantes para a minha formação foi ter conhecido a Capoeira Angola através do Mestre Bola Sete. Aprendi capoeira na sua essência, na época em que ela ainda sofria os preconceitos da burguesia. Fui levado por meu pai, amigo do mestre, e entregue a ele para que eu aprendesse a me defender. E aprendi bem mais do que isso. Naquela convivência, todas as terças e quintas-feiras, à noite, saíamos do bar "Do Tenente", na Av. Joana Angélica, e íamos em direção ao Dique do Tororó, para chegarmos à casa de Adilson Senzala, e no seu quintal, sobre um chão de barro batido, contornado por bananeiras e entre malandros que pareciam ter saído dos livros de Jorge Amado, aprendermos os ensinamentos da Capoeira Angola que fizeram nascer em mim o sentimento de querer preservar, com muita ginga, as tradições culturais da nossa gente, principalmente as que estão adormecidas pelo efeito da indiferença. Certamente esse desejo que carrego de tentar impedir a morte na lembrança do nosso povo de artistas como Batatinha e Riachão, vem da forma com que Bola Sete me passou os ensinamentos da Capoeira Angola. A luta da tradição *versus* os modismos e a importância da persistência para triunfar, mesmo anonimamente, através de caminhos menos recomendáveis nesse mundo dito "globalizado", definiu em mim, para sempre, esse perfil que carrego e que por gratidão me faz sentir endividado com meu mestre. Hoje, vendo a Capoeira Angola mais reconhecida, é inevitável a lembrança de Trovoada, Junta de Ferro, Moa do Catendê, Queixinho, Corisco, Manhoso e tantos outros angoleiros com quem aprendi o jogo da malícia e da mandinga, da sedução africana que soube misturar luta com dança, desfazer tristeza com samba e tornar para sempre culturalmente rica a nossa Bahia.

E, como numa "passagem do jogo de angola", eu entrego a capoeira para vocês via a paixão, o conhecimento e a didática que só Bola Sete possui. Peço licença para agradecer a meu pai por ter me colocado também nesse caminho, dando-me o direito de poder cantar: "iê, viva meu mestre, iê, viva meu mestre camará".

J. Velloso

Introdução

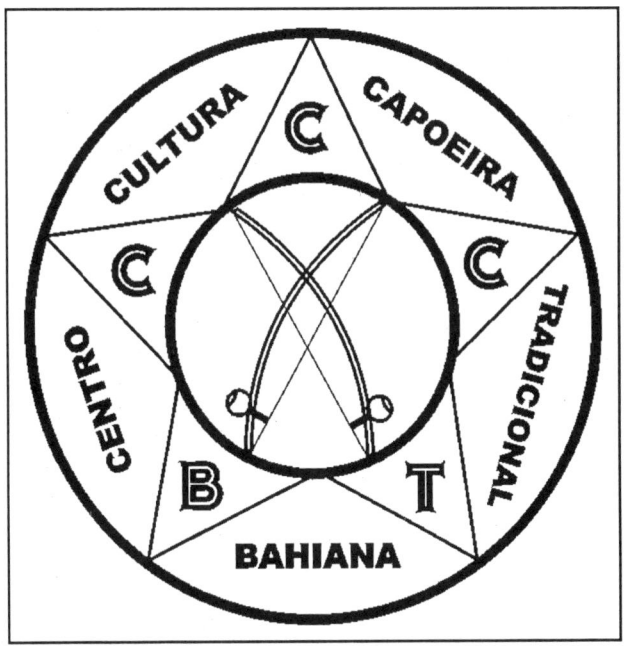

Distintivo do Centro de Cultura da Capoeira Tradicional Bahiana

    O nosso ensino consiste na aprendizagem da capoeira tradicional baiana, estilo angola, procurando evoluir dentro de suas características, preservando suas tradições, seus rituais e seus preceitos, tendo a malícia como a sua principal arma de defesa, a humildade como a sua maior virtude e a calma como um meio necessário para alcançarmos o equilíbrio, na busca constante da verdade, através do conhecimento do invisível.

O capoeirista tem obrigação de cogitar, uma vez ao menos, os valores espirituais. O fracasso do capoeirista, do ser humano em geral, é o descuido das obrigações espirituais.

Mestre Pastinha

MESTRE PASTINHA

Vicente Ferreira Pastinha (1889-1981)
Mestre Geral e Patrono da Capoeira Angola no Mundo

MESTRE PASTINHA E SEUS DISCÍPULOS

Careca, Rosalvo, Valdomiro Malvadeza, Branquinho e Bola Sete; vadiando: Escurinho e Getúlio; Largo do Pelourinho. Dezembro de 1969

MESTRE PASTINHA E BOLA SETE

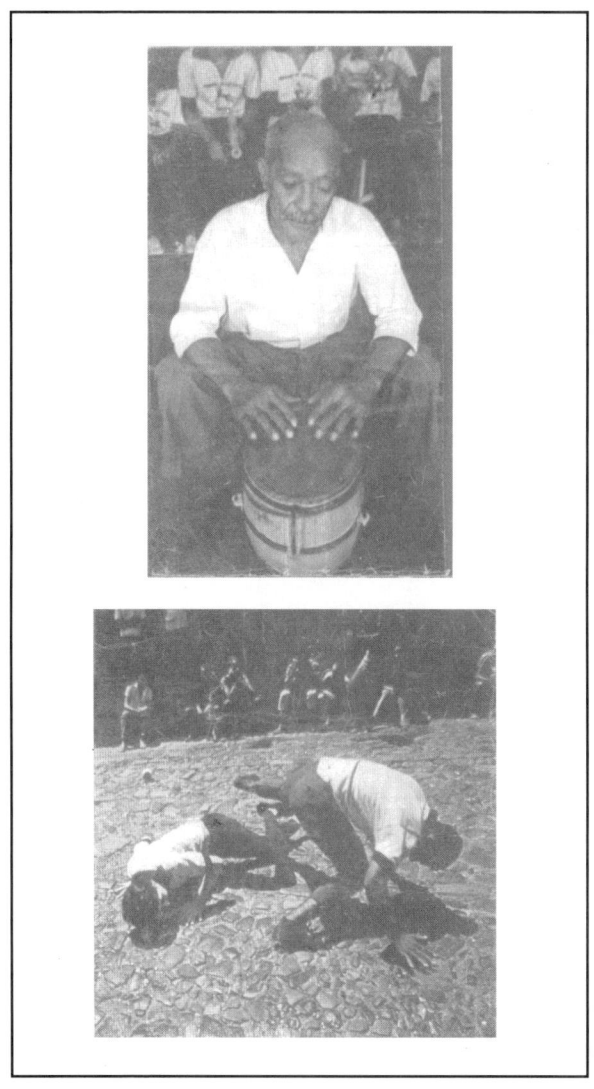

Mestre Pastinha tocando atabaque e Bola Sete vadiando com outro aluno
Década de 60. Pelourinho

DISCÍPULOS DE MESTRE PASTINHA
Roda de Confraternização

Da esquerda para a direita: Raimundo Natividade, Bola Sete, Boca Rica,
Gildo Alfinete, Meio Quilo, Colmenero, João Pequeno e Valdomiro Malvadeza
Largo do São Francisco. Dezembro de 1999

DISCÍPULOS DE MESTRE PASTINHA
1º Encontro Internacional de Capoeira Angola

Da esquerda para a direita:
João Pequeno, Gildo Alfinete, João Grande e Bola Sete
Salvador – Bahia

Cântico da ladainha em homenagem ao capoeirista Pessoa Bababá, discípulo do Mestre Pastinha, que me ensinou os primeiros passos da capoeira angola em um porão escuro de um prédio, no bairro do Tororó, onde ele acendia uma vela em cada canto " para alumiar o esconderijo da sombra":

TIMBUERA

Era um campo de mandinga
No meio da escuridão
Com uma vela em cada canto
Em cada canto um lamento
Relembrando o sofrimento
Do tempo da escravidão

A timbuera é traiçoeira
O camarada assombração
No esconderijo da sombra
A luta se disfarça em dança
Serpenteia e avança
Igual a uma cobra pelo chão

Mas na hora do perigo
Ele é o maior inimigo
Não aperte a sua mão
O seu nome é Pessoa
Seu moleque, não fique à toa
Que ele é cabra ruim

Bola Sete e Pessoa – 1981

Brigar contra um não tem graça
Já lutou com sete praça
Não tem feitiço que ele não desfaça
É capoeirista de raça
Que gosta de tomar cachaça
Na porta do botequim.

Mestre Bola Sete

Cântico corrido em homenagem a Besouro, de Santo Amaro da Purificação, o maior capoeirista de todos os tempos:

O EXEMPLO DE BESOURO

Vamos jogar a capoeira
Como manda a tradição
Jogo de dentro, jogo de fora
É o jogo de angola
Capoeira, meu irmão

É o exemplo de Besouro
De Santo Amaro da Purificação
Que tinha o corpo fechado
Quando fazia uma oração
E saía vadiando, enrolando pelo chão

Na roda de capoeira
Dava um aperto de mão
Era um jogo mandingueiro
Não machucava o companheiro
E nem batia sem precisão

Mas a polícia o temia
No momento da ação
Quando ele se benzia
A todos ele vencia
Com o seu santo de guarda e ao lado da razão.

Mestre Bola Sete

MESTRE BOLA SETE E SEUS ALUNOS

Igreja do Santíssimo Sacramento da Rua do Passo – Pelourinho

Homenagem póstuma ao meu primo Besourinho, ex-aluno do capoeirista Pessoa Bababá:

CORPO FECHADO

Olá, companheiros
Vinde a mim
Não temam que a luta é amiga
Capoeira é entre irmão
Sai de baixo
Olha a rasteira
Ginga o corpo
Deixa de moleza
Cavalaria tocando
Mestre olhando
Turista de boca aberta
Olhando o milagre
De corpo e mente sã
Berimbau tocando
Luta quente, noite fria
Para esquentar o coração
Capoeira chamando
Eu vou pra lá
Alguém olha
É preciso não cair
Olha o inimigo
Não vê a terra
Gazela, salto, queda
Voa mais alto
Vai ao chão
Ritmo de pandeiro
É samba de roda
É roda de capoeira
Ela veio da África
No terreiro
De ogun
De amuleto
Corpo fechado
Não temo ninguém.

José Carlos Bomfim de Almeida
(Besourinho)

MESTRE BOLA SETE

Presidente do Conselho de Mestres
da Associação Brasileira de Capoeira Angola

O BERIMBAU DE BOLA SETE

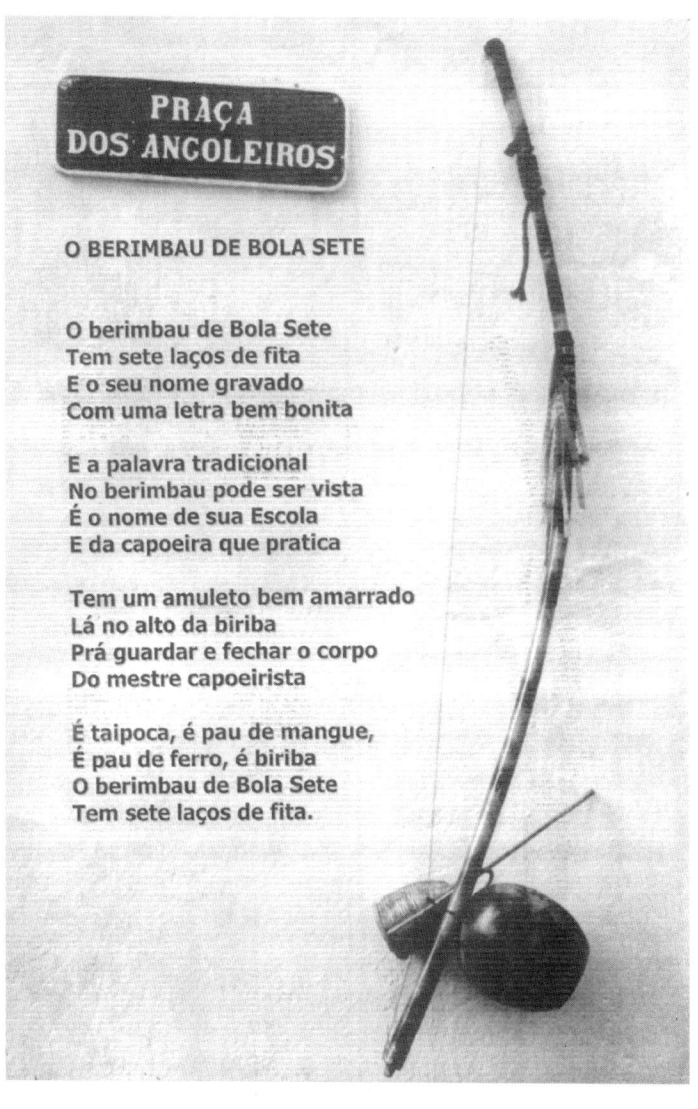

BATERIA COMPLETA DA CAPOEIRA ANGOLA
(formação tradicional utilizada na Academia de Mestre Pastinha)

Mestres: Bola Sete (berimbau gunga), Pelé da Bomba (berimbau berra-boi), Roberval do Espírito Santo (berimbau viola), Zé Pretinho (pandeiro), Gildo Alfinete (atabaque), Zé do Lenço (agogô) e Romano (reco-reco).

Observação: Podemos usar um ou dois pandeiros, sem interferir no desempenho da bateria. No Centro de Cultura da Capoeira Tradicional Bahiana (CCCTB), geralmente só usamos os dois pandeiros na ausência do atabaque.

DEPOIMENTOS

"A bateria da capoeira angola se forma primeiramente com um bom berimbau tocando. Depois, os três berimbaus: um berra-boi, um viola e um gunga."

(Mestre Valdemar da Liberdade, considerado o maior cantador de ladainhas nas rodas de capoeira da Bahia)

"A instrumentação da capoeira era de três berimbaus: um gunga, um berra-boi e um viola; dois bodes e um ganzá de bambu."

(Mestre Gato, ex-contramestre de bateria da Academia do Mestre Pastinha, vencedor do "Berimbau de Ouro" da Bahia)

Capítulo I

A forma de ensino tradicional

Estudando a capoeira durante um período superior a trinta anos e, particularmente, a forma de ensino dos antigos angoleiros, principalmente a do meu trenel Pessoa Bababá e a do meu mestre Pastinha, considerado o líder maior da capoeira angola a partir de 1941, quando assumiu o posto de Mestre Geral, título este concedido pela nata da capoeiragem baiana, a exemplo dos mestres Amorzinho, Antonio Maré, Noronha, Livino Boca da Barra, Zeir, Vitor, José Chibata, Geraldo Chapeleiro, Juvenal Engraxate, Eulâmpio, Daniel Reis, Aberrê, Onça Preta, Alemão e outros bambas da época, o que deu origem à fundação do Centro Esportivo de Capoeira Angola, e depois de freqüentar diversas Escolas de Capoeira, inclusive a do mestre Bimba, que criou um estilo próprio denominado "regional", cheguei à seguinte conclusão: ninguém é dono da verdade absoluta. A capoeira sofre um processo de criação constante e cabe a nós, mestres, extrairmos o que existe de melhor dentro das diversas formas de ensino, procurando enriquecer cada vez mais a nossa arte, adequando-a ao nosso objetivo e tendo o cuidado para sabermos separar bem o "joio do trigo", eliminando todos os movimentos estranhos às nossas raízes, que descaracterizam a nossa arte, acrescentando e conservando os que estiverem de acordo com as nossas tradições, sem interferir jamais no seu riquíssimo potencial criativo, aproveitando os gestos individuais de cada um, formando sempre rodas de capoeira sob a supervisão de um mestre ou de seu substituto, onde os alunos poderão dar vazão a toda a sua criatividade.

Partindo deste raciocínio, constatei que, a princípio, eles transmitiam para os seus alunos os movimentos básicos de defesa, iniciando as aulas sempre com o treinamento da *ginga*, a exemplo do mestre Pastinha, que costumava segurar na mão do aluno durante algum tempo, até que ele dominasse os seus passos, passando a colocar os braços na posição defensiva. Em seguida, ensinava a *negativa* nas quedas de lado ou de frente, a depender da trajetória do golpe, lateral ou frontal, aplicado pelo mestre ou seu substituto, fazendo o aluno levantar-se no *rolê* depois da queda, quando era chamado em uma das passagens da angola e convidado a sair no *aú*. Tudo isso sob os olhares atentos dos demais alunos que aguardavam a sua vez.

Prosseguia o treinamento, agora na roda de capoeira, com a saída de jogo no pé do berimbau, onde desenvolviam o jogo de baixo, com o apoio das mãos e dos pés, através de movimentos executados no chão, onde a negativa e o rolê eram bastante utilizados e o golpe mais aplicado era o rabo-de-arraia que, freqüentemente, o mestre fazia o aluno repetir várias vezes, de forma bem lenta, com ambas as pernas, enquanto ele permanecia na negativa, observando toda a sua trajetória. Alguns minutos depois, passavam para o jogo de cima, desenvolvido na posição de pé, onde a movimentação da ginga, através da negaça e do giro, eram fundamentais no desenvolvimento deste tipo de jogo e onde a meia-lua e a chapa, aplicados de frente, eram os golpes mais utilizados.

No decorrer do curso, eles iam ensinando mais alguns golpes de frente, depois de lado e por fim os giratórios, inclusive técnicas desequilibrantes (derrubadas), de acordo com o conhecimento e a preferência de cada um deles e da sua boa vontade com o aluno. Tudo isso dentro de, no máximo, duas ou três seqüências-modelo e outras descobertas no decorrer dos treinamentos, que com o passar do tempo quase sempre caíam no esquecimento e eram substituídas por outras, devido ao pouco conhecimento intelectual do mestre, que dependia sempre da transmissão oral para passar a sua forma de ensino.

Quanto às passagens, utilizadas exclusivamente nas chamadas de angola, fazem parte de uma série de antigos rituais, de grande importância para o nosso ensino, principalmente por conter nelas uma grande dose de malícia, do conhecimento de todos os verdadeiros mestres angoleiros, que as ensinavam com extrema devoção, acrescentando quase sempre alguma "falsidade", própria de sua criatividade, que durante as aulas iam sendo assimiladas ou não pelos alunos.

Como pudemos observar, as seqüências nunca foram uma exclusividade do estilo regional, mesmo porque seria impossível ensinar capoeira sem a utilização delas. A diferença é que o mestre Bimba, ajudado por alguns dos seus alunos, foi o primeiro a colocá-las no papel, em letra de forma. Entretanto, o que caracteriza as seqüências da capoeira regional é a presença da cintura desprezada (golpes ligados) e a eliminação completa das chamadas, que são uma característica marcante da capoeira angola, e conseqüentemente da maioria dos seus rituais, além da finalização das seqüências dentro do seu método, que só desenvolve o jogo de cima, na posição de pé. Desta forma, quando um dos camaradas cai na negativa, o outro imediatamente sai no aú, não dando assim continuidade ao jogo de baixo, a partir da negativa. É também através do aú que os praticantes da capoeira regional dão início ao jogo nas rodas de capoeira.

Dando prosseguimento ao ensino da capoeira angola, depois de suficientemente treinadas essas seqüências e passagens iniciais com o seu mestre, o aluno começava a praticar o jogo livremente na roda de capoeira com outros alunos de sua academia, inclusive participando das demonstrações públicas, sem sofrer a interferência do seu mestre, que apenas observava, permitindo assim que ele desenvolvesse bastante a sua criatividade, deixando para corrigir os possíveis erros depois de encerrada a "brincadeira", quando costumava orientá-lo através de longas conversas, contando "causos" que serviam de exemplo e que faziam parte do processo de aprendizagem, principalmente no que se refere ao exercício da malícia.

Quando o mestre notava que o aluno já se encontrava "plantado" sobre uma base, com uma estrutura sólida, era chegado o momento de fazer o jogo de dentro, que consistia no desenvolvimento de um jogo extremamente malicioso, dentro de um círculo fechado, onde o aluno aprendia a vadiar próximo ao seu camarada, adquirindo o golpe de vista, de grande importância na capoeiragem, embora alguns mestres, a exemplo do mestre Pastinha, que aprendeu com tio Benedito no "círculo de cadeiras", tenham iniciado a sua aprendizagem no jogo de dentro.

Além do jogo de dentro, existia o teste de campo, na rua, quando alguns mestres costumavam incentivar o seu aluno mais adiantado a "correr a freguesia". Isto é: freqüentar as rodas de capoeira afamadas, inclusive nas festas de largo, a exemplo da Conceição da Praia, famosa por ser a mais tradicional delas e, conseqüentemente, a mais freqüentada pelos capoeiristas baianos, onde ele adquiria a experiência necessária para tornar-se um bom capoeirista.

O capoeirista Pessoa Bababá costumava também fazer duas provas de fogo dentro do teste de campo, quando procurava pegar o aluno de surpresa na rua, geralmente nas madrugadas, até que ele desistisse de enfrentá-lo na briga. Além disso, o levava até a rua do Maciel de Cima, zona perigosa do meretrício, no Pelourinho, onde costumava arrumar um barulho para observar como o aluno se saía.

– Para não ficar à toa, seu moleque! – respondia quando indagado pelo aluno sobre a necessidade dele participar de tais provas.

No decorrer dos anos, o aluno era iniciado na aprendizagem dos toques do berimbau no ritmo característico do jogo de angola e, a depender de sua vontade e dedicação, ia assimilando os demais toques com o tempo, além do pandeiro, do atabaque, do agogô e do reco-reco, completando a sua aprendizagem no que se refere aos instrumentos musicais que compõem a bateria da capoeira angola.

Sempre de acordo com o seu interesse, o aluno ia conhecendo os cânticos tradicionais, participando, a princípio, do coro musical e posteriormente puxando o canto da ladainha, entrando no improviso dos cantos de entrada (chulas) e prosseguindo nos cantos corridos.

Aos poucos, notando a determinação do aluno em adquirir maiores conhecimentos, o mestre começava a prepará-lo na tarefa de ministrar aulas aos alunos mais novos, o que iria lhe proporcionar um excelente meio de adquirir novos conhecimentos, importantíssimos para quem deseja realmente concluir todas as fases de aprendizagem da capoeira angola e tornar-se um mestre.

Dali em diante, a sua trajetória dependeria ainda mais do seu esforço pessoal, conquistando a sua condição de mestre de acordo com o tempo, através do seu trabalho e do seu reconhecimento pela comunidade "capoeirística".

Vinte anos atrás, com base nos conhecimentos adquiridos até então, resolvi adotar uma forma de ensino muito própria, adequada aos meus objetivos, através de um treinamento prolongado, de forma lenta e progressiva, de acordo com a condição de cada um dos meus alunos, buscando o equilíbrio entre o velho e o novo, procurando preservar a forma de ensino dos antigos mestres angoleiros, importantíssima, dando especial atenção às técnicas defensivas, visando aprimorá-las ainda mais, utilizando bastante a *ginga*, movimentando-se a partir de sua base, através da negaça (esquivamento de corpo), do floreio (jogo de corpo), da passada ou giro (deslocamento de corpo), usando as cutilas (alta e baixa), as guardas (de frente, de lado e de costas), as travas (alta e baixa) e as escoras (de frente, de lado e no bloqueio), além de um trabalho de relaxamento de corpo, utilizando exercícios respiratórios, objetivando a concentração da mente, com a colaboração do toque do berimbau em ritmo lento; a *negativa*, acrescentando outras quedas na sua forma de execução; além do *rolê* e do *aú*; favorecendo, assim, o esquivamento e o deslocamento de corpo em pé e no chão, proporcionando, desta forma, um equilíbrio perfeito ao praticante da capoeira angola.

Procurei também resgatar antigos rituais, atualmente em desuso, apesar da riqueza dos seus detalhes, totalmente desconhecidos pela maioria dos mestres atuais. Continuando com o mesmo objetivo e visando aprimorar as condições física e técnica, e ao mesmo tempo desenvolver a criatividade dos meus alunos, disciplinando e exercitando o companheirismo, com o intuito de integrá-los ainda mais ao grupo, além de facilitar bastante o meu ensino, acabei descobrindo uma forma de ensinar os movimentos básicos da capoeira angola, através de sete conjuntos de seqüências e passagens tradicionais, onde a negativa, através de suas quedas, determina a mudança do jogo de cima para o jogo de baixo, que deve ser bastante trabalhado devido a sua qualidade defensiva, e finalizado através do rolê, para que se possa dar continuidade ao jogo com as passagens nas chamadas de angola, concluindo cada conjunto com um dos camaradas saindo no aú.

Entretanto, estes conjuntos, depois de assimilados na sua forma original, pela sua própria disposição, permitem a modificação dos seus movimentos de um conjunto para outro, de acordo com a imaginação de cada um, desde que a trajetória dos golpes e a ordem das seqüências e das passagens sejam mantidas. Isto é: jogo de baixo, jogo de cima, jogo de baixo, chamada de angola e jogo de baixo.

Isto feito, tomei o cuidado de colocá-los no papel, em letra de forma, para que servissem de modelo, de referência, para o treinamento da capoeira angola.

Prosseguindo com a mesma filosofia inicial de trabalho, treinando os alunos individualmente e em duplas, acabei adotando também o treinamento em equipe, de acordo com as necessidades atuais, devido ao aumento considerável de alunos nas academias, o que não acontecia antigamente, o que certamente irá proporcionar uma assimilação mais rápida e eficiente dos movimentos que serão praticados de forma sistemática, embora o ritmo permaneça, a princípio lento, dentro das nossas características, dando uma visão mais ampla de toda a trajetória do golpe, levando os alunos a obterem uma conscientização plena na execução desses movimentos, bem de acordo com a nossa proposta de ensino, possibilitando o acesso a nossa academia de pessoas até então impedidas de praticarem capoeira, devido à idade avançada ou malcondicionadas fisicamente.

Em nosso ensino, procuro não discriminar ninguém, eliminando todos os movimentos complicados, de difícil execução, além de não permitir, como não poderia deixar de ser, a introdução de movimentos de outras lutas nas rodas de capoeira e dos diversos saltos incorporados à "capoeira moderna" e até mesmo utilizados em algumas escolas tidas como tradicionais, que acredito totalmente desnecessários e até mesmo, em alguns casos, prejudiciais. Dessa maneira, damos assim, a qualquer pessoa, condições de praticá-la sem receio, desde que esteja gozando de boa saúde, servindo inclusive como terapia, fortalecendo os órgãos internos e, conseqüentemente, atuando como uma maneira de prevenção contra determinadas doenças, além de ser uma maneira saudável de exercitar-se, e o que é mais importante, favorecendo a sua prática durante toda a vida.

Assim sendo, acredito que ofereço um modo de ensino bastante simples, prático e de qualidade, onde o jogo de baixo, o jogo de cima e as chamadas de angola se interligam harmoniosamente formando um todo, dando origem a uma forma tradicional de ensino, dentro dos fundamentos da capoeira angola.

Complementando o meu trabalho, através da experiência adquirida na prática e no ensino da capoeiragem, sempre de acordo com os ensinamentos do meu mestre, aprendi que a capoeira angola divide-se em quatro partes:

1. corporal
2. musical
3. mental
4. espiritual

A primeira é a mais comum, manifesta-se através do jogo (a parte revelada nas rodas de capoeira); da dança (camuflada no jogo e na luta, no intuito de enganar o oponente) e da luta (reservada, nos esconderijos, para ser usada contra os inimigos).

A segunda é incorpórea, se expressa através dos sons produzidos pelos cânticos tradicionais e pelos instrumentos musicais que fazem parte da bateria da capoeira angola.

A terceira é filosófica, baseada na malícia (sabedoria) e na manha (falsidade), e se expressa através da malandragem (esperteza/jogo de cintura). O praticante deixa de fazer capoeira para viver a capoeira, modificando o seu modo de ser. Compreende que a roda de capoeira é um espelho da vida, aprendendo a comportar-se no mundo lá fora, no cotidiano da vida, da mesma maneira que se comporta na roda, freqüentando todos os ambientes e convivendo com todo tipo de gente, para saber agir com precisão nos momentos decisivos. Todos os seus movimentos e atitudes agora devem ser dirigidos pela calma. Percebe que o capoeirista tem de ser equilibrado e calculista, tendo o controle absoluto da mente sobre a matéria, superando o medo.

A quarta é mística, escondida no eu de cada um, depende do tempo para compreendê-la e exige muita força de vontade para alcançá-la. É o nosso eu verdadeiro, baseada na mandinga, e se expressa através dos preceitos e rituais da capoeira angola. É a busca da espiritualidade, o conhecimento do invisível. Geralmente o capoeirista acredita no seu santo protetor, no seu guia espiritual ou no seu orixá, para quem pede proteção no pé do berimbau enquanto ouve a ladainha antes do início do jogo; conhece orações para fechar o corpo, possui os seus amuletos para aumentar a sua fé e protegê-lo nas horas de perigo. Tudo isso leva o capoeirista ao encontro de uma realidade extrafísica. Besouro Cordão de Ouro foi o maior exemplo do capoeirista mandingueiro que, segundo a lenda, desaparecia misteriosamente na frente dos seus inimigos quando estava levando desvantagem ou quando não queria ser visto.

ORAÇÕES
(para nossa defesa, contra os inimigos)

Tu és o ferro, eu sou o aço
Senhor do meu coração
Tu és o inimigo, eu te embaraço
Com os poderes de Deus e o
Divino Espírito Santo
Nossa Senhora da Guia
Se tu tiveres mau-olhado
Não me falarão
Pés não andarão
Braços não abraçarão
Mal coração
Jesus com os poderes de Deus
Do Divino Espírito Santo
Nossa Senhora da Guia
Tu estás preso, acreditado
Debaixo das ordens de Deus
Segundo, embaixo do meu pé esquerdo
(bata o pé no chão três vezes)
Tens o privilégio.

Livrai minha grande aflição
Para servir e amar
Velai, Senhor
Para que nossos inimigos
Não me façam mal
Valei-me, Senhor
Para que a minha alma
Não seja perdida
Meu sangue derramado
Nem meu corpo seja preso
Pelas mãos inimigas.

Com relação à classificação dos angoleiros, tendo como referência o Centro Esportivo de Capoeira Angola, sob o comando do mestre Pastinha, nossa entidade máxima até o final da década de setenta, existiam duas categorias: amadores e profissionais.

Na primeira, encontravam-se os alunos e os capoeiristas menos qualificados, e na segunda os capoeiristas mais experientes, denominados Profissionais e Profissionais Completos.

Dentro dessa organização, os capoeiristas poderiam assumir os cargos de Treneis e Contramestres e exercerem as funções de Contramestres de Bateria e/ou Contramestres de Jogo, de acordo com as determinações do Mestre Geral. Quanto aos alunos, eram reservados os títulos de Mascotes, Arquivistas, Instrumentistas e Fiscais de Campo.

O mestre Pastinha, como já foi dito anteriormente, ocupava o posto de Mestre Geral, na qualidade de idealizador e fundador do CECA.

A título de curiosidade, ocuparam o cargo de Contramestres os capoeiristas Canjiquinha, Zacarias Boa Morte, João Pequeno e João Grande, sendo que estes dois últimos eram denominados primeiro e segundo Contramestres, respectivamente. O mestre Gato também ocupou um cargo de relevância no referido Centro, na condição de Contramestre de Bateria. Cargo este ocupado posteriormente pelo capoeirista Valdomiro Malvadeza. O cargo de Trenel, que tinha a incumbência de ministrar aulas para os alunos, foi ocupado a princípio por João Pequeno, posteriormente por Getúlio Cabeção e em seguida por mim, que já havia sido Fiscal de Campo (tinha a função de escolher as duplas que se apresentariam nas demonstrações públicas) e finalmente pelo mestre Bobó, no último ano de funcionamento do nosso Centro.

Na minha academia, o Centro de Cultura da Capoeira Tradicional Bahiana, utilizo um sistema de classificação parecido, sendo que acrescentei as denominações de iniciantes, iniciados, adiantados e formados, para melhor classificar os alunos, e o cargo de professor para os capoeiristas classificados como profissionais, além da denominação de capoeirista formado para identificar o angoleiro que atingiu o mais alto grau de classificação, podendo ou não assumir o cargo de mestre, como veremos adiante.

Capítulo II

Normas de jogo e de bateria

No Centro de Cultura da Capoeira Tradicional Bahiana (CCCTB), todas as nossas aulas são iniciadas com a execução dos toques do berimbau, criando assim, com os seus acordes, um campo energético favorável que prepara o corpo, a mente e o espírito para a prática da capoeiragem. Devemos também observar algumas regras básicas muito importantes no que se refere à conservação das nossas tradições:

1ª) Não fazer a troca dos instrumentos enquanto a volta estiver em andamento, para não quebrar o ritmo do jogo e da bateria.

2ª) Não pedir para tocar qualquer instrumento da bateria que esteja nas mãos de um mestre, só se ele mesmo tomar a iniciativa, a não ser outro mestre.

3ª) Não entrar nos cânticos corridos, enquanto não terminar de cantar uma ladainha e uma chula (improviso), terminando sempre com o verso: "que o mundo dá, camarada", que é a senha para o início da volta.

4ª) Quando estiverem presentes na roda de capoeira vários mestres, cada um deles deve evitar puxar mais de uma ladainha, uma chula e três a quatro corridos por vez, dando oportunidade aos demais para também executarem os seus cânticos e demonstrarem a sua perícia nos instrumentos musicais durante os intervalos, quando se pode ouvir com mais nitidez os seus acordes.

5ª) Caso se encontre na bateria algum aluno ou capoeirista que não seja mestre e deseje cantar, deve pedir licença ao mestre que esteja no comando.

6ª) Não permitir que nenhum dos instrumentos musicais elevem o seu tom acima dos berimbaus, pois eles comandam o ritmo da bateria, sendo o gunga o principal deles.

7ª) Não finalizar nem interferir no jogo, quando os dois camaradas estiverem desenvolvendo os movimentos característicos das chamadas de angola, pois fazem parte de antigos rituais da capoeira tradicional, praticada em Salvador e no Recôncavo Baiano.

8ª) Se estiver tocando o berra-boi, evitar tocar no mesmo ritmo do gunga, procurando inverter os toques. Entretanto, se estiver com o berimbau viola, pode usar qualquer ritmo, devendo repicar constantemente, sem contudo seguir um esquema rígido, podendo inclusive, nos intervalos dos cânticos, os três berimbaus improvisarem juntos.

9ª) É sempre o mestre, na sua academia, ou o mais antigo no cargo, fora dela, que inicia e encerra a roda de capoeira. Não havendo nenhum mestre presente, o capoeirista que ocupa o posto mais elevado será o seu substituto.

10ª) O tipo de jogo a ser desenvolvido na roda de capoeira é determinado pelo toque do berimbau gunga ou pelo mestre, caso esteja vadiando com um aluno ou capoeirista menos classificado. No caso de dois mestres, o mais velho determina o ritmo.

11ª) Quando estiver vadiando na roda de capoeira, tenha bastante cuidado para não sujar a roupa do seu camarada, principalmente se ele for um mestre e estiver trajando a sua tradicional roupa branca. No mínimo, é considerado falta de educação.

12ª) Ao dar início ao canto: "uma volta só", que antecede o encerramento da roda, qualquer mestre poderá comprar o jogo do camarada, mas só outro mestre poderá comprar o seu jogo.

13ª) Finalizando a roda de capoeira, quando o mestre ou seu substituto puxa o canto de "adeus", não é mais permitido a compra de jogo, encerrando a brincadeira com a dupla que se encontra vadiando no momento.

14ª) Durante a entoação dos cânticos, citados nas duas últimas normas, não será mais permitido o recurso das passagens, nas chamadas de angola.

Capítulo III

Sessão de ginástica

A sessão de ginástica, dita oficial, é perfeitamente dispensável nos treinamentos da capoeira angola que, por si só, com a sua cadência musical e os seus movimentos defensivos, onde a ginga é o exemplo maior, já bastam para oferecer um perfeito condicionamento físico para a prática da capoeira, estimulando a circulação sanguínea e aliviando as tensões, levando os seus adeptos a conquistarem uma perfeita harmonia entre o corpo, a mente e o espírito e, conseqüentemente, um excelente estado de saúde.

Entretanto, depois de estudar bastante diversos exercícios de alongamento, onde cada movimento ensinado condiciona o aluno para o movimento seguinte, prevenindo algum possível acidente muscular, o que é praticamente nulo em nosso estilo, resolvi, por pura precaução, introduzir no meu método de ensino treze deles. Assim, constatei a utilidade dos mesmos também no que se refere a uma evolução mais rápida na assimilação dos movimentos, principalmente com relação aos golpes, além da simplicidade na sua execução, de forma lenta e natural, igualmente aos movimentos da angola, que podem ser utilizados durante a nossa vida inteira e, portanto, de acordo com a nossa proposta de ensino.

1º EXERCÍCIO: colocando as mãos para a frente, dedos entrelaçados. Alongando dedos, mãos, punhos, ombros, braços e alto das costas, além de relaxar.

Duração: 15 segundos.

2º EXERCÍCIO: colocando as mãos para o alto, palmas unidas. Alongando braços, costelas e ombros.

Duração: 15 segundos.

3º EXERCÍCIO: empurrando o cotovelo com a mão, por trás do ombro. Alongando os ombros e a face posterior dos braços.
Duração: 15 segundos, para cada lado.

4º EXERCÍCIO: girando o pescoço para os lados. Alongando os músculos do pescoço.
Duração: 10 vezes, para cada lado.

5º EXERCÍCIO: dobrando o tronco para os lados. Alongando as laterais do corpo, do braço ao quadril, além de afinar a linha da cintura.

Duração: 30 segundos, para cada lado.

6º EXERCÍCIO: dobrando o tronco para frente. Alongando as costas (região lombar), quadris, virilhas, tendões, atrás dos joelhos, atrás das coxas e a parte de trás das pernas.

Duração: 30 segundos.

7º EXERCÍCIO: dobrando o tronco para trás. Alongando a espinha dorsal.
Duração: 15 segundos.

8º EXERCÍCIO: puxando o joelho com as mãos. Alongando os quadris, nádegas e tendões (parte de cima).
Duração: 30 segundos, para cada lado.

9º EXERCÍCIO: dobrando o joelho e puxando o pé para trás, alongando os joelhos e a frente das coxas (quadríceps).
Duração: 30 segundos, para cada lado.

10º EXERCÍCIO: descendo com a perna estirada para o lado, com o pé apontando para cima. Alongando os tendões da virilha em várias direções, tendões da coxa, tornozelo e joelho (aumentando a flexibilidade e facilitando a abertura das pernas).
Duração: 30 segundos, para cada perna.

11º EXERCÍCIO: descendo com as pernas estiradas e os pés apontados para a frente, afastando-os gradualmente até sentir um alongamento suave na parte interior das coxas, tendo as mãos apoiadas no chão para manter o equilíbrio. A partir daí, à medida que for adquirindo mais flexibilidade, continuar descendo, agora com os pés apontados para cima, até atingir o ponto desejado, sem dor, o que serve para todos os demais exercícios.
Duração: 30 segundos.

12º EXERCÍCIO: abaixando na posição de cócoras, com os pés completamente apoiados no chão. Alongando os tornozelos, tendões de Aquiles, parte anterior das pernas, joelhos, costas e o fundo da virilha, desenvolvendo a potência motora dos membros inferiores. Enquanto permanecer na posição, fechar e abrir as mãos, fortalecendo dedos, mãos, punhos e antebraços. Finalmente, para alongá-las, separe e estique os dedos por 5 segundos, duas vezes.
Duração: 60 segundos.

13º EXERCÍCIO: a seguir, a partir da posição de cócoras, afunde um pouco o queixo e levante-se reto para cima, com a força exclusiva do quadríceps, permanecendo com a coluna reta. Estando totalmente de pé, eleve lentamente os braços à frente do corpo até que eles estejam totalmente esticados para cima. Ao mesmo tempo, estique o corpo ao máximo, apoiando-se nas pontas dos pés. Mantenha-se nesta posição por cinco segundos e então volte lentamente à posição anterior com os pés plantados no chão e os braços pendentes ao lado do corpo. Então sacuda os braços, a cabeça e as pernas, relaxando totalmente o corpo.

Duração: 20 segundos.

Capítulo IV

Fases de aprendizagem e classificação

1ª FASE – INICIAÇÃO
ALUNO INICIANTE PARA ALUNO INICIADO

MOVIMENTOS DA ANGOLA
JOGO DE ANGOLA

Nesta fase de INICIAÇÃO, o aluno aprenderá os movimentos básicos de defesa da capoeira angola, de acordo com a nossa forma de ensino, utilizada no Centro de Cultura da Capoeira Tradicional Bahiana, adquirindo uma sólida base, alicerçada na aprendizagem da *ginga*, da *negativa*, do *rolê* e do *aú*.

1ª e 2ª AULAS: GINGA (negaceando na base, de frente) – Sendo o movimento mais importante da capoeira angola, o aprendiz deverá empenhar-se ao máximo no sentido de aprendê-la corretamente, principalmente na sua fase inicial, partindo depois para o treinamento de suas inúmeras variações onde, futuramente, por si só, o capoeirista a terá como a sua melhor defesa.

A princípio, o aluno deverá fixar a sua atenção na aprendizagem de sua *base*, bastante simples, como podemos verificar nas fotos, gingando descontraidamente, com as mãos abertas, protegendo-se com os braços alternados na direção dos ombros e com os joelhos flexionados, proporcionando um melhor equilíbrio no seu desempenho, acompanhado, de preferência, pelos toques de Angola Pequena ou São Bento Pequeno de Angola, durante um período mínimo de cinco minutos.

3ª e 4ª AULAS: GINGA (negaceando na base, de lado) – Dentro do próprio gingado, na sua base, treinaremos agora a negaça com o corpo de lado para o camarada, procurando girar o tronco para os dois lados, trabalhando bastante a cintura, para que os movimentos sejam efetuados da forma mais correta possível.

5ª e 6ª AULAS: GINGA (negaceando com a cutila alta) – Visando a nossa proteção, principalmente contra os golpes aplicados com as mãos, desferidos na altura do rosto, quando não for possível a defesa através da negaça, ou quando for mais conveniente a sua utilização na armação de um contra-ataque.

Cutila alta – O braço direito faz um semicírculo de baixo para cima, em frente ao rosto, com a palma da mão para fora, finalizando o movimento ao lado do corpo, enquanto o braço esquerdo permanece na frente do tórax em atitude protetora, para em seguida executar o mesmo movimento do braço direito, quando este assume o lugar daquele e assim sucessivamente.

7ª e 8ª AULAS: GINGA (negaceando com a cutila baixa) – Visando também a nossa proteção, principalmente contra os golpes aplicados com as mãos, desferidos na altura do plexo solar, quando não for possível a defesa através da negaça, ou quando for mais conveniente a sua utilização na armação de um contra-ataque.

Cutila baixa – O braço direito faz um semicírculo de cima para baixo, em frente ao rosto, com a palma da mão para dentro, finalizando o movimento ao lado do corpo, enquanto o braço esquerdo permanece na frente do tórax em atitude protetora, para em seguida executar o mesmo movimento do braço direito, quando este assume o lugar daquele e assim sucessivamente.

9ª e 10ª AULAS: GINGA (avançando com a guarda baixa) – A partir da sua base, na negaça, com um passo à frente nos posicionamos na passagem da ginga por baixo de um possível golpe, na posição de cócoras e com os pés chapados no chão, permitindo ao angoleiro defender-se e contra-atacar com segurança.

11ª e 12ª AULAS: GINGA (relaxamento do corpo) – Gingar, procurando relaxar cada vez mais, como se estivesse exercitando o corpo dentro d'água, deixando os punhos soltos, permitindo assim que os movimentos sejam executados com maior fluidez.

Todo movimento de defesa onde o corpo é projetado para o solo e o apoio é feito através das mãos e dos pés é denominado de negativa, nas suas diversas formas de execução. Treinar inicialmente duas ou três vezes para cada lado, procurando não tocar o corpo no chão, o que vale para qualquer movimento da capoeira angola.

NEGATIVA (na queda de lado):

13ª e 14ª AULAS: GINGA (exercício respiratório) – À medida que for aperfeiçoando o seu gingado, procure respirar corretamente, inspirando na negaça (recuando) e expirando na passagem da ginga (avançando), o que evitará mais tarde um gasto desnecessário de energia durante o jogo.

NEGATIVA (nas quedas de frente e de costas):

15ª e 16ª AULAS: GINGA (concentração da mente) – Dando prosseguimento à aprendizagem do gingado, o aluno deverá colocar-se em sintonia com a música característica da capoeira angola, procurando concentrar-se nos seus movimentos corporais de acordo com o toque do berimbau, embora todos os sentidos estejam alertas, atento a tudo que se passa ao seu redor.

NEGATIVA (nas quedas de frente e de lado, rasteiras; de quatro e de três):

Capoeira Angola - 63

17ª e 18ª AULAS: ROLÊ e AÚ – Complementando os movimentos básicos de defesa, temos ainda o rolê e o aú, que depois de assimilados, passaremos a treiná-los em equipe, juntamente com a ginga e a negativa.

A partir da 19ª aula, os alunos serão iniciados na aprendizagem dos movimentos ofensivos (golpes e derrubadas), instruídos por um TRENEL (capoeirista) ou GUIA (aluno qualificado) através de treinamentos individuais, em duplas e em equipe, nas suas diversas formas de execução.

Depois de assimilados os primeiros movimentos ofensivos, os alunos serão entregues ao MESTRE ou seu substituto para que possa instruí-los na roda de capoeira, dando início ao 1º conjunto, no pé do berimbau, a partir do jogo de baixo, sempre de acordo com os movimentos já ensinados, até o 7º conjunto de seqüências e passagens tradicionais utilizados no CCCTB, contendo os movimentos básicos da capoeira angola e as suas principais variações de golpes.

Finalizando cada aula, depois de assimilados os dois primeiros conjuntos, o aluno iniciante deverá desenvolver o jogo de angola com o seu mestre ou substituto, onde poderá dar vazão a toda sua criatividade, observando os seguintes movimentos:

Saudando o Camarada no Pé do Berimbau:

Meia Bananeira na Saída de Jogo:

Observação: A seguir, do 1º ao 7º conjunto, a letra "M" representa um movimento da capoeira angola desferido pelo mestre, e a letra "A", o movimento de defesa e contra-ataque executado pelo seu aluno. Depois de assimilados, inverter a posição. Isto é, com o aluno iniciando a movimentação de cada conjunto.

19ª a 22ª AULAS

Movimentos ofensivos: MEIA-LUA de frente; PONTEIRA solta e RABO-DE-ARRAIA embaixo.

1º CONJUNTO

Ao passar do jogo de baixo para o jogo de cima, o mestre aplica duas MEIAS-LUAS de frente no seu aluno, este defende-se com duas NEGAÇAS e contra-ataca com uma PONTEIRA, levando o mestre a defender-se na NEGATIVA, passando automaticamente para o jogo de baixo e aplicando um RABO-DE-ARRAIA no aluno que, por sua vez, também defende-se na NEGATIVA e contra-ataca com um RABO-DE-ARRAIA e o mestre torna a defender-se na NEGATIVA e sair no ROLÊ. Finalizando, o mestre faz uma *chamada de angola* e o aluno atende conforme as normas do jogo, fugindo em seguida no AÚ e retornando ao jogo de baixo.

Mestre/Aluno:

SEQÜÊNCIA (Jogo de Cima)
(2) MEIAS-LUAS de frente   (M)
(2) NEGAÇAS   (A)
   PONTEIRA solta   (A)

SEQÜÊNCIA (Jogo de Baixo)
   NEGATIVA   (M)
   RABO-DE-ARRAIA   (M)
   NEGATIVA   (A)
   RABO-DE-ARRAIA   (A)
   NEGATIVA   (M)
   ROLÊ   (M)

PASSAGEM (Chamada de Angola)
   Chama na Cruz de frente   (M)
   Sai no AÚ   (A)

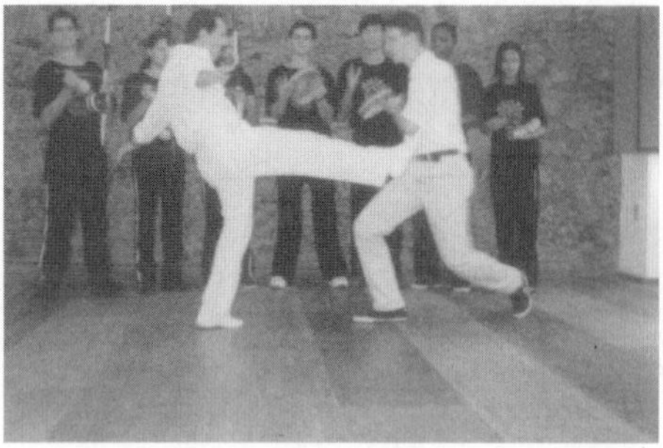

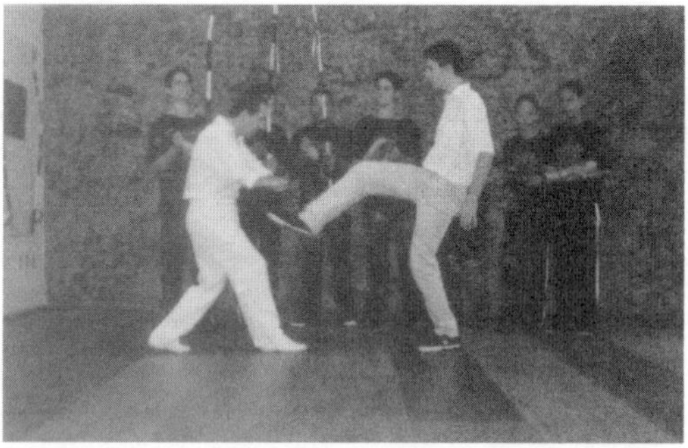

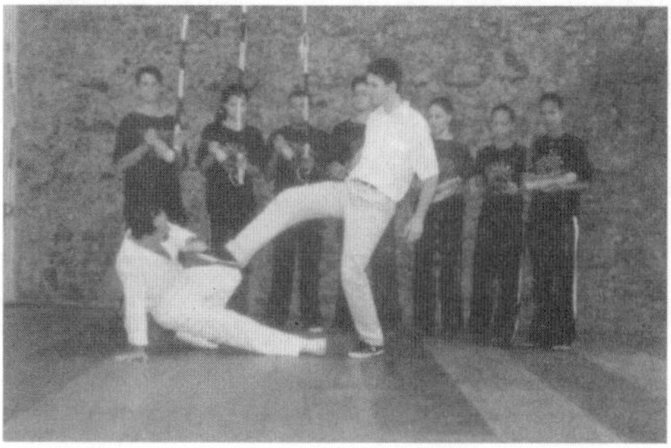

Capoeira Angola -

23ª a 26ª AULAS

Movimentos ofensivos: MARTELO em cima; CHAPA solta e MARTELO embaixo.

2º CONJUNTO

Ao passar do jogo de baixo para o jogo de cima, o mestre executa duas MEIAS-LUAS de frente e um MARTELO e o aluno defende-se com três NEGAÇAS, contra-atacando com uma CHAPA solta. O mestre então defende-se na NEGATIVA, retornando ao jogo de baixo, e simultaneamente aplica um MARTELO no aluno, que defende-se na NEGATIVA, dando continuidade ao jogo de baixo, atacando com um RABO-DE-ARRAIA. O mestre volta a defender-se na NEGATIVA e a sair no ROLÊ, para em seguida chamar o aluno na passagem, aplicando-lhe uma JOELHADA, forçando assim o aluno a defender-se na NEGATIVA, enquanto o mestre sai no AÚ.

Mestre/Aluno:

SEQÜÊNCIA (Jogo de Cima)
(2) MEIAS-LUAS de frente   (M)
    MARTELO   (M)
(3) NEGAÇAS   (A)
    CHAPA solta   (A)

SEQÜÊNCIA (Jogo de Baixo)
    NEGATIVA   (M)
    MARTELO   (M)
    NEGATIVA   (A)
    RABO-DE-ARRAIA   (A)
    NEGATIVA   (M)
    ROLÊ   (M)

PASSAGEM (Chamada de Angola)
    Chama no Arpão de cabeça (M)
    JOELHADA   (M)
    NEGATIVA   (A)
    Sai no AÚ   (M)

Capoeira Angola - 71

72   *- Do iniciante ao Mestre*

27ª a 30ª AULAS

Movimentos ofensivos: CABEÇADA, JOELHADA e BANDA de dentro.

3º CONJUNTO

Igualmente aos outros conjuntos, ao passar do jogo de baixo para o jogo de cima, o mestre inicia esta seqüência com duas MEIAS-LUAS de frente. Prosseguindo, o aluno defende-se com duas NEGAÇAS, sendo que na segunda ele contra-ataca com uma CABEÇADA e o mestre, da mesma forma, aplica uma JOELHADA, quando o aluno defende-se na NEGATIVA e o mestre continua a ofensiva com outra JOELHADA, forçando o aluno a utilizar uma BANDA como defesa e derrubada, levando o mestre a defender-se na NEGATIVA e a fugir no ROLÊ, levantando adiante e chamando o aluno na passagem, convidando-o a sair no AÚ.

Mestre/Aluno:

SEQÜÊNCIA (Jogo de Cima)
(2) MEIAS-LUAS de frente	(M)
(2) NEGAÇAS	(A)
CABEÇADA	(A)
JOELHADA	(M)

SEQÜÊNCIA (Jogo de Baixo)
NEGATIVA	(A)
JOELHADA	(M)
BANDA de dentro	(A)
NEGATIVA	(M)
ROLÊ	(M)

PASSAGEM (Chamada de Angola)
Chama na Saudação	(M)
Sai no AÚ	(A)

- *Do iniciante ao Mestre*

Capoeira Angola - 75

31ª a 34ª AULAS

Movimentos ofensivos: RABO-DE-ARRAIA em cima; CHAPA de frente; TESOURA; RABO-DE-ARRAIA fechado e BOCA-DE-CALÇA.

4º CONJUNTO

O mestre aplica duas MEIAS-LUAS de frente e um RABO-DE-ARRAIA; o aluno defende-se com três NEGAÇAS e contra-ataca com uma CHAPA de frente, quando o mestre passa para o jogo de baixo ao defender-se na NEGATIVA e, no ato, revida com uma TESOURA, fazendo com que o aluno caia na NEGATIVA, passando por baixo do movimento ofensivo, desferindo quase que simultaneamente um RABO-DE-ARRAIA fechado e uma BOCA-DE-CALÇA, levando o mestre a defender-se na NEGATIVA. Ao levantar-se no ROLÊ, o mestre chama o aluno na passagem e desfere uma MEIA-LUA de costas, fazendo com que o aluno desça na NEGATIVA, enquanto ele foge no AÚ.

Mestre/Aluno:

SEQÜÊNCIA (Jogo de Cima)
(2) MEIAS-LUAS de frente   (M)
    RABO-DE-ARRAIA   (M)
(3) NEGAÇAS   (A)
    CHAPA de frente   (A)

SEQÜÊNCIA (Jogo de Baixo)
    NEGATIVA   (M)
    TESOURA   (M)
    NEGATIVA   (A)
    RABO-DE-ARRAIA fechado (A)
    BOCA-DE-CALÇA   (A)
    NEGATIVA   (M)
    ROLÊ   (M)

PASSAGEM (Chamada de Angola)
    Chama na Volta do Mundo (M)
    MEIA-LUA de costas   (M)
    NEGATIVA   (A)
    Sai no AÚ   (M)

Capoeira Angola - 77

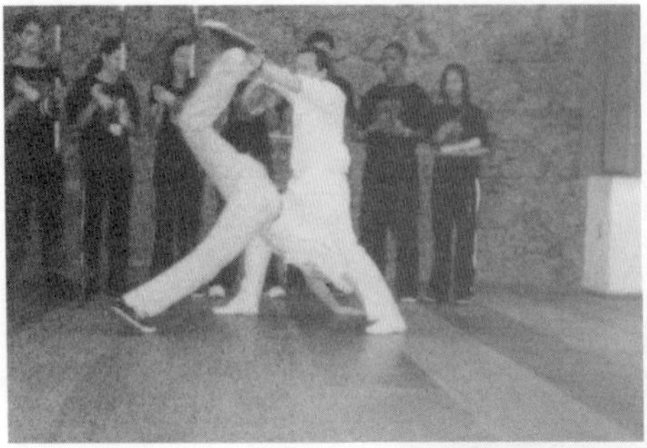

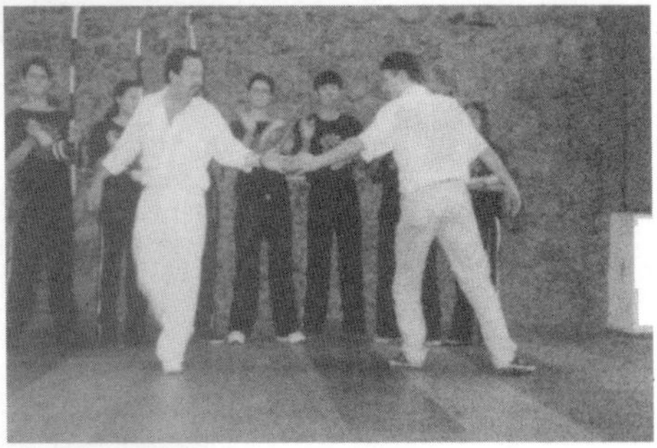

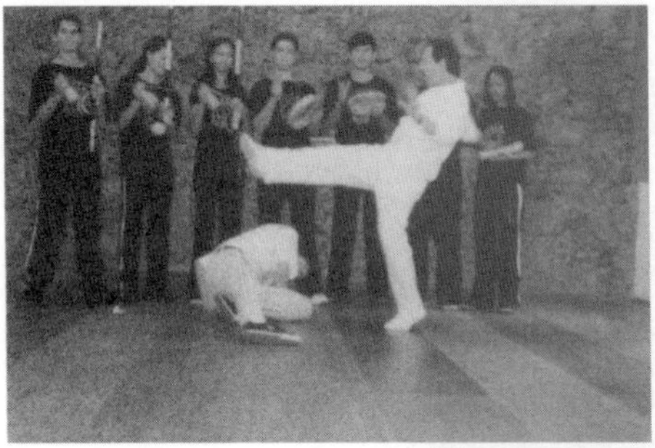

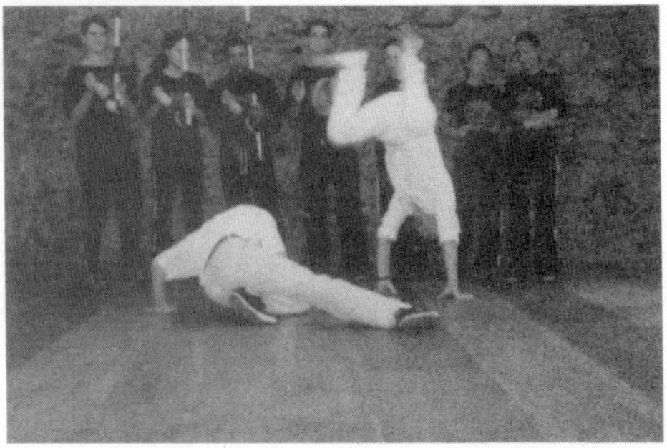

35ª a 38ª AULAS

Movimentos ofensivos: CHAPA de lado e CHAPA giratória embaixo.

5º CONJUNTO

Da mesma forma, o mestre inicia a seqüência do jogo de cima aplicando duas MEIAS-LUAS de frente, forçando o aluno a defender-se com duas NEGAÇAS e contra-atacar com uma CHAPA de lado, quando o mestre defende-se na NEGATIVA e desfere uma CHAPA giratória no jogo de baixo, obrigando o seu aluno a defender-se igualmente na NEGATIVA e contra-atacar com um RABO-DE-ARRAIA, fazendo com que o mestre defenda-se na NEGATIVA e no ROLÊ, chamando em seguida o aluno na passagem, quando desfere uma CHAPA solta, obrigando-o a defender-se novamente na NEGATIVA, enquanto sai no AÚ.

Mestre/Aluno:

SEQÜÊNCIA (Jogo de Cima)
(2) MEIAS-LUAS de frente (M)
(2) NEGAÇAS (A)
   CHAPA de lado (A)

SEQÜÊNCIA (Jogo de Baixo)
   NEGATIVA (M)
   CHAPA giratória (M)
   NEGATIVA (A)
   RABO-DE-ARRAIA (A)
   NEGATIVA (M)
   ROLÊ (M)

PASSAGEM (Chamada de Angola)
   Chama no Sapinho (M)
   CHAPA solta (M)
   NEGATIVA (A)
   Sai no AÚ (M)

80 - *Do iniciante ao Mestre*

Capoeira Angola - 81

39ª a 42ª AULAS

Movimentos ofensivos: CHAPA giratória em cima e CHAPA de costas embaixo.

6º CONJUNTO

Dando início à seqüência do jogo de cima, o mestre executa duas MEIAS-LUAS de frente e o aluno defende-se com duas NEGAÇAS e contra-ataca com uma CHAPA giratória, fazendo com que o mestre defenda-se na NEGATIVA, indo para o jogo de baixo, aplicando uma CHAPA de costas no aluno, que retorna também ao jogo de baixo ao defender-se na NEGATIVA e contra-ataca com um RABO-DE-ARRAIA, levando o mestre a defender-se outra vez na NEGATIVA, sair no ROLÊ e chamar o aluno na passagem, aplicando-lhe um RABO-DE-ARRAIA e obrigando-o a defender-se na NEGATIVA, enquanto sai no AÚ.

Mestre/Aluno:

SEQÜÊNCIA (Jogo de Cima)
(2) MEIAS-LUAS de frente   (M)
(2) NEGAÇAS   (A)
   CHAPA giratória   (A)

SEQÜÊNCIA (Jogo de Baixo)
   NEGATIVA   (M)
   CHAPA de costas   (M)
   NEGATIVA   (A)
   RABO DE ARRAIA   (A)
   NEGATIVA   (M)
   ROLÊ   (M)

PASSAGEM (Chamada de Angola)
   Chama na Muzenza   (M)
   RABO-DE-ARRAIA   (M)
   NEGATIVA   (A)
   Sai no AÚ   (M)

Capoeira Angola -

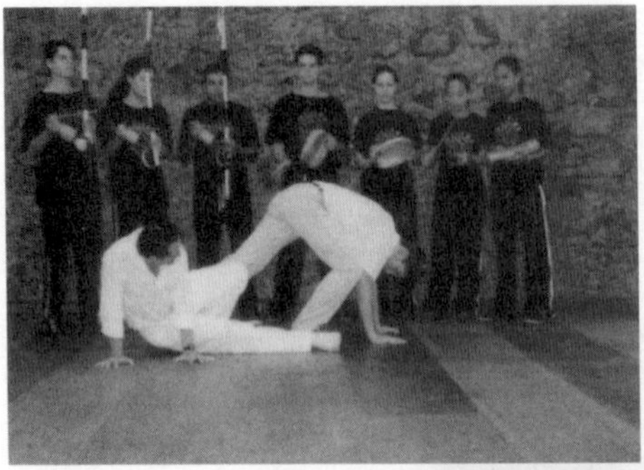

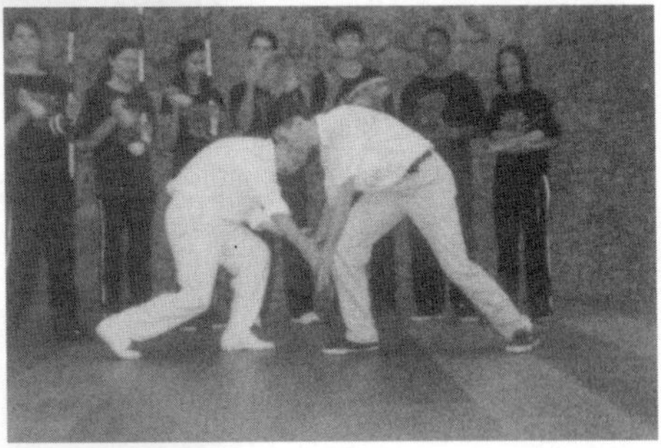

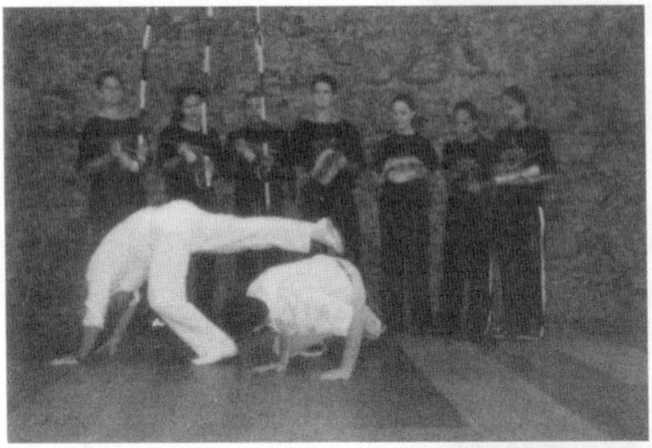

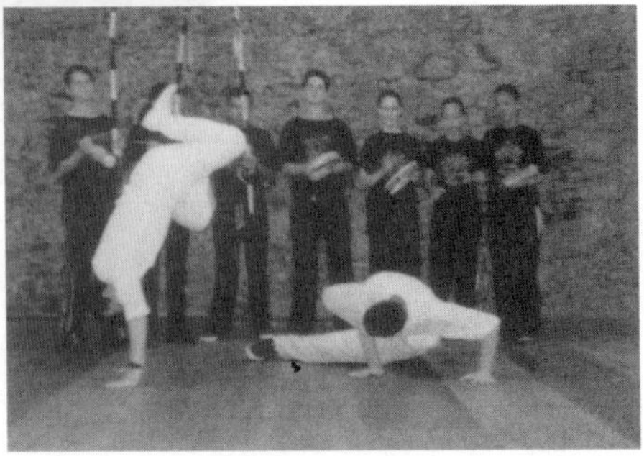

43ª a 46ª AULAS

Movimentos ofensivos: MEIA-LUA de lado; MEIA-LUA de costas; CHAPA de costas em cima; RASTEIRA e RABO-DE-ARRAIA rasteiro.

7º CONJUNTO

Neste último conjunto, o mestre executa duas MEIAS-LUAS de frente, uma MEIA-LUA de lado e uma MEIA-LUA de costas, enquanto o aluno defende-se com quatro NEGAÇAS, esquivando-se dos golpes e contra-atacando com uma CHAPA de costas. O mestre então defende-se na NEGATIVA, aplicando ao mesmo tempo uma RASTEIRA, quando o aluno cai também na NEGATIVA e executa um RABO-DE-ARRAIA rasteiro, levando o mestre a defender-se outra vez na NEGATIVA, fugir no ROLÊ, e chamar o aluno na passagem, convidando-o a sair no AÚ.

Mestre/Aluno:

SEQÜÊNCIA (Jogo de Cima)
(2) MEIAS-LUAS de frente (M)
    MEIA-LUA de lado (M)
    MEIA-LUA de costas (M)
(4) NEGAÇAS (A)
    CHAPA de costas (A)

SEQÜÊNCIA (Jogo de Baixo)
    NEGATIVA (M)
    RASTEIRA (M)
    NEGATIVA (A)
    RABO-DE-ARRAIA rasteiro (A)
    NEGATIVA (M)
    ROLÊ (M)

PASSAGEM (Chamada de Angola)
    Chama na Cruz de costas (M)
    Sai no AÚ (A)

- *Do iniciante ao Mestre*

Capoeira Angola - 87

Observações:

1ª) Na aplicação dos golpes, o aluno deverá prestar bastante atenção no ponto de apoio, feito com o pé contrário, pois a depender da distância em que se encontra o objetivo visado, poderá avançar mais, ou menos, facilitando a execução do movimento. Caso aplique o golpe com o pé que ficou atrás na defensiva, este ficará limitado e só alcançará o alvo até onde o comprimento da perna permitir. Entretanto, ao desferir um contragolpe, o executante não necessitará fazer o ponto, permitindo uma velocidade maior na ação, surpreendendo o oponente.

2ª) Ao sair no AÚ, o mestre ou o aluno deve dar continuidade ao jogo de baixo, improvisando sempre, como já foi salientado anteriormente, sendo que a trajetória do movimento deve ser acompanhada por um **rabo-de-arraia** ou ameaçada com uma **cabeçada** na altura do plexo solar, forçando a fuga através do rolê, voltando assim a dar continuidade ao jogo de baixo.

CHAMADAS DE ANGOLA – Embora o principal objetivo das passagens utilizadas na capoeira angola seja despertar a malícia do angoleiro, devemos aproveitar o momento também para fazermos um exercício respiratório, inspirando profundamente pelo nariz com o tronco ereto, até ajudando com a elevação dos braços. Expirar pela boca lentamente, esvaziando os pulmões. Em seguida, assoprar mais um pouco de ar, recuperando-se assim do cansaço, e adquirindo mais energia para continuar vadiando.

MOVIMENTOS DA ANGOLA – O martelo, assim como os demais movimentos da capoeira angola, podem ter diversas denominações, a depender da forma de execução. Aplicado no chão, é também chamado de chibatada ou chapéu-de-couro e ainda chapéu-quebrado, quando executado na falsidade, não dando chance de contragolpe.

47ª AULA – Executar os MOVIMENTOS DA ANGOLA, através dos sete conjuntos de seqüências e passagens tradicionais.

48º AULA – Fazer o JOGO DE ANGOLA com o seu mestre, preparando-se para a cerimônia do Ritual de Iniciação.

Encerrada esta 1ª fase, que teve a duração de aproximadamente seis meses, o aluno terá que passar pelo Ritual de Iniciação, demonstrando estar apto a desenvolver com segurança o jogo de angola, vadiando com seu "padrinho", escolhido entre os mestres convidados, que também escolherá o nome de guerra do seu "afilhado", e pelo qual será identificado no meio "capoeirístico", já classificado como aluno iniciado.

No final da cerimônia, receberá das mãos da nossa "madrinha" o certificado de conclusão do CURSO BÁSICO DE CAPOEIRA ANGOLA, podendo inclusive ocupar o cargo de AUXILIAR, com a função de ajudar os mais graduados na tarefa de ministrar aulas aos alunos iniciantes, o que irá contribuir de forma positiva na sua própria aprendizagem.

2ª FASE – ESTRUTURAÇÃO
ALUNO INICIADO PARA ALUNO ADIANTADO

CORO MUSICAL
TOQUES DE BERIMBAU

A partir da quadragésima nona aula, daremos início a uma nova fase de aprendizagem denominada ESTRUTURAÇÃO, que terá também uma duração média de seis meses, quando o aluno deverá responder com entusiasmo e correção os cânticos de entrada (chulas) e os corridos puxados pelo mestre de bateria ou seu substituto, cuidando para não colocar o seu timbre de voz acima ou abaixo dos demais participantes do coro musical, dando origem a uma tonalidade única, criando assim, juntamente com os instrumentos musicais, um campo de energia positiva na roda de capoeira, o que irá contribuir para que o jogo se desenvolva dentro dos fundamentos da angola.

No final deste período, após a nonagésima sexta aula, o aluno terá que executar todos os toques do berimbau no ritmo do jogo de angola, ou seja: Angola Pequena, São Bento Pequeno de Angola, Angola Dobrada e São Bento Grande de Angola.

Sendo aprovado, fará jus ao certificado de conclusão desta fase, na condição de aluno adiantado, podendo ocupar o cargo de

MONITOR de jogo e/ou de bateria e ajudar os mais graduados no ensino da capoeira angola aos alunos iniciantes e aos iniciados.

3ª FASE – FORMAÇÃO (do aluno)
ALUNO ADIANTADO PARA ALUNO FORMADO

> **AULAS DE CAPOEIRA**
> **RODAS DE CAPOEIRA**

Durante a fase de FORMAÇÃO do aluno, com duração de um ano aproximadamente, ele passará por uma prova de eficiência no ensino da capoeira angola, ministrando aulas práticas a um grupo de alunos, orientando-os com disciplina, educação e respeito. Passará também por uma série de treinamentos, sempre de forma lenta e progressiva, visando o seu aperfeiçoamento técnico através do desenvolvimento do jogo dos sete conjuntos de seqüências e passagens tradicionais, e a sua participação no Teste de Campo, na rua, quando o aluno será incentivado a participar ativamente das rodas de capoeira tradicionais da Bahia (correr a freguesia), buscando a experiência necessária para a sua formação, quando será convidado, no final deste período, a fazer o jogo de dentro com o Mestre Geral ou seu substituto, de acordo com a nossa tradição.

Comprovada a sua qualificação, o aluno formado receberá o seu certificado e poderá assumir o cargo de INSTRUTOR e ministrar aulas no CCCTB para os alunos menos qualificados.

4ª FASE – PREPARAÇÃO
ALUNO FORMADO PARA CAPOEIRISTA AMADOR

> **INSTRUMENTOS MUSICAIS**
> **CÂNTICOS TRADICIONAIS**

Nesta nova etapa de PREPARAÇÃO, com aproximadamente dois anos de duração, como o nome indica, o aluno será preparado para mudar a sua classificação, passando a ser considerado um capoeirista. No dia da prova, será solicitada a sua presença na roda de capoeira, através da chamada do berimbau (gunga), nas mãos do Mestre Geral, quando o aluno deverá mostrar todo o seu conhecimento adquirido até então, na execução dos instrumentos musicais utilizados para o acompanhamento do jogo da capoeira angola, além dos seus cânticos tradicionais. Saindo-se bem, receberá o seu *Diploma de Capoeirista (amador)* das mãos da "madrinha", podendo assumir o cargo de *Trenel*, estando capacitado a ministrar aulas de capoeira angola no CCCTB ou em outro local designado pelo Mestre Geral, permanecendo sob a sua supervisão, agora na condição de discípulo.

5ª FASE – ESPECIALIZAÇÃO
CAPOEIRISTA AMADOR PARA CAPOEIRISTA PROFISSIONAL

> **MOVIMENTAÇÃO NO JOGO DE CIMA**
> **MOVIMENTAÇÃO NO JOGO DE BAIXO**

Durante um período aproximado de três anos nesta fase de ESPECIALIZAÇÃO, o capoeirista deverá alcançar um elevado índice de conhecimentos, onde a movimentação no jogo de cima (através da negaça e do giro) e no jogo de baixo (através da negativa e do rolê) serão fundamentais para a sua evolução, além de qualificá-lo para que possa defender-se também de uma possível agressão dentro e fora das rodas de capoeira contra adversários armados ou desarmados, participando dos treinamentos onde serão utilizados movimentos defensivos e ofensivos em determinadas situações de jogo e de luta, contra golpes aplicados com os membros inferiores e superiores, golpes ligados, porrete, cabo de aço, pedradas, armas brancas, armas de fogo etc., além do manejo do berimbau na movimentação da ginga, tudo isso para serem usados, em última instância, em defesa da vida.

Movimentação no Jogo de Cima
(através da Negaça e do Giro)

Conjunto de posições executadas com os pés, no solo, como mostram as seguintes ilustrações:

● Pé esquerdo

○ Pé direito

1ª) Esquivando o corpo na base.

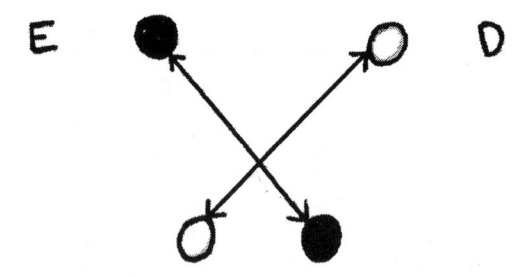

2ª) Esquivando e deslocando o corpo para os lados, de forma circular.

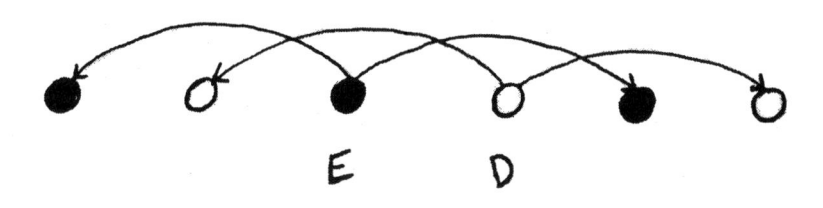

E   D

3ª) Esquivando e deslocando o corpo para trás, por dentro.

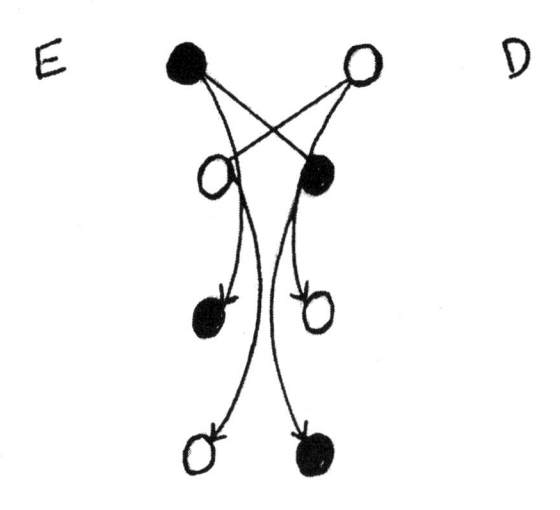

E   D

4ª) Esquivando e deslocando o corpo para trás, por fora.

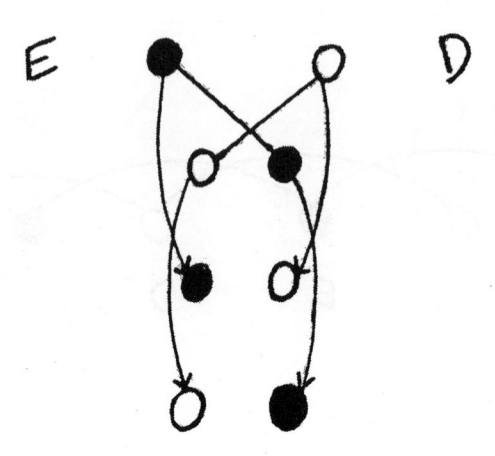

5ª) Esquivando e deslocando o corpo, visando a execução da cotovelada e/ou da cabeçada (de costas).

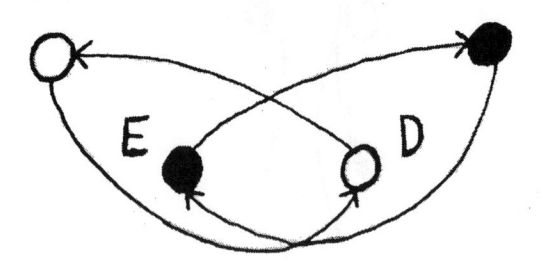

6ª) Esquivando e deslocando o corpo, visando a execução do desprezo.

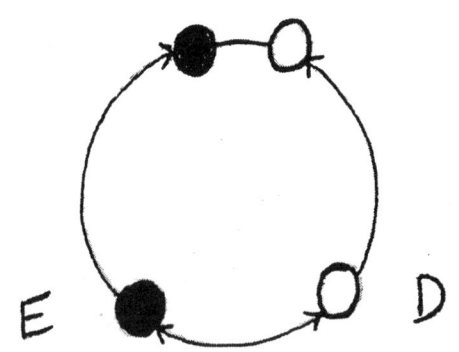

7ª) Esquivando e deslocando o corpo, de costas, visando fechar o jogo do camarada.

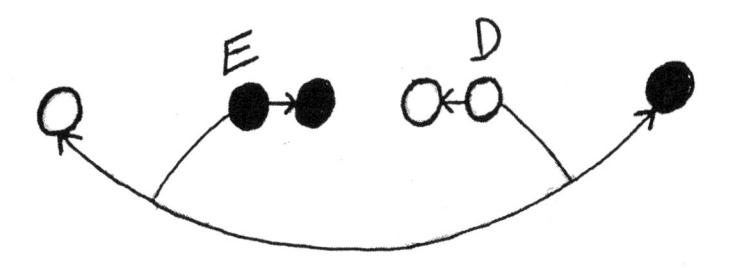

8ª) Esquivando e deslocando o corpo lateralmente, simulando uma fuga.

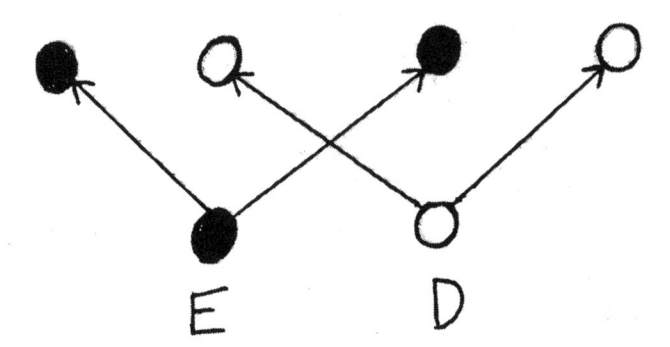

9ª) Esquivando e deslocando o corpo de costas, simulando uma fuga.

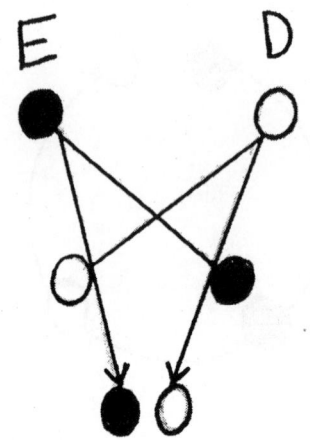

10ª) Esquivando e deslocando o corpo de lado, visando desequilibrar o camarada.

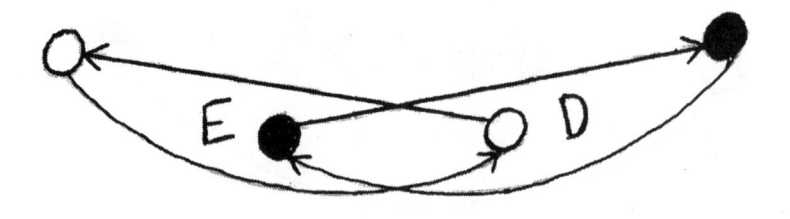

11ª) Esquivando e deslocando o corpo de lado, na defesa do martelo.

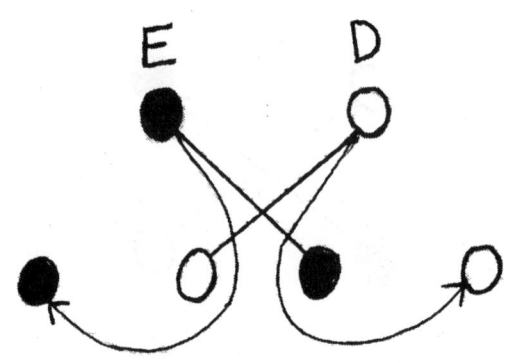

12ª) Esquivando e deslocando o corpo de lado, na defesa e no contra-ataque da tesoura.

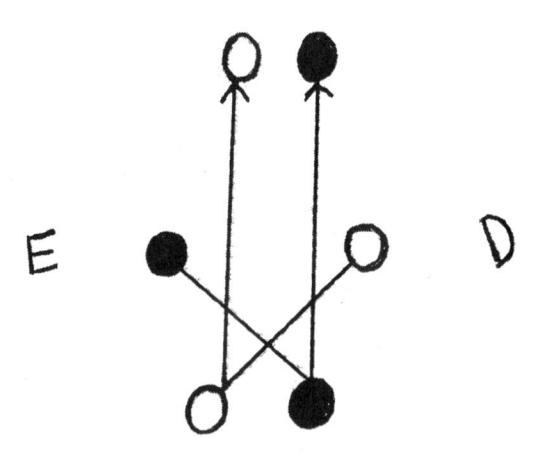

13ª) Esquivando e deslocando o corpo para trás, em linha reta.

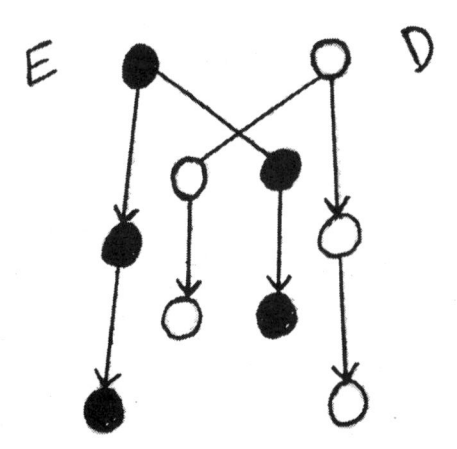

14ª) Esquivando e deslocando o corpo para trás, em linha curva.

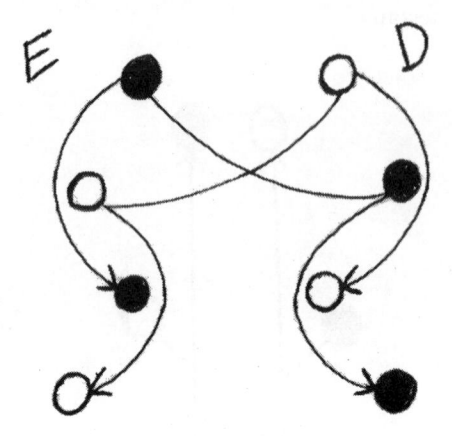

15ª) Esquivando e deslocando o corpo de forma circular, para frente e para trás, fechando o movimento.

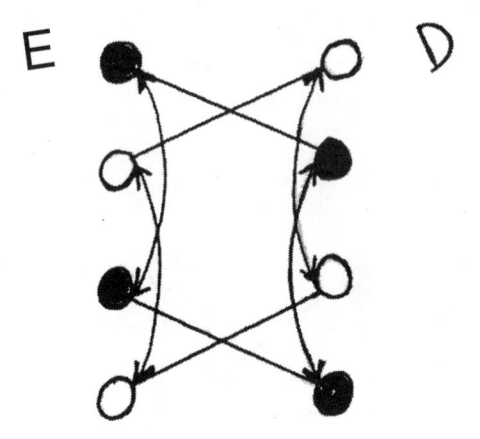

Observação: Na NEGAÇA, o angoleiro não sai da posição de base, enquanto que na PASSADA ou giro, muda constantemente de lugar, colocando-se geralmente numa posição de guarda na finalização do movimento, ou retornando à posição inicial, na base. Entretanto, no FLOREIO, ele utiliza todo o seu corpo, principalmente as mãos, para enganar o oponente, visando penetrar mais facilmente na sua guarda.

Movimentação no Jogo de Baixo
(através da Negativa e do Rolê)

Conjunto de posições executadas com os pés e mãos no solo:
1ª) Amarrando o jogo na guarda baixa

2ª) Transformando na negativa

3ª) Serpenteando na cabeçada para a frente

4ª) Transformando na tesoura aberta

5ª) Serpenteando na cabeçada para os lados

6ª) Serpenteando na tesoura fechada

7ª) Enrodilhando na banda de dentro

8ª) Arrastando no corta-capim

9ª) Volteando na roda-viva

10ª) Volteando no catavento

11ª) Volteando no passo da onça

12ª) Levantando no rolê

Observação: Nas movimentações acima, devido à complexidade dos detalhes, não foi possível mostrá-las através de ilustrações.

Situações de Jogo

Movimentos utilizados durante o jogo, abrangendo defesas, derrubadas, passos e golpes, inclusive antigos rituais da capoeira angola, como aparecem nas seqüências apresentadas.

Seqüência de fotos no Largo do Pelourinho, vendo-se ao fundo o casarão amarelo onde funcionou durante muitos anos o Centro Esportivo de Capoeira Angola, que congregava os mais famosos capoeiristas da Bahia, sob o comando do Mestre Pastinha:

1ª) A convite do mestre e de acordo com o ritual, o aluno passa a perna direita e depois a esquerda estendidas na sua frente, com movimentos lentos e cadenciados, na expectativa de uma "falsidade" (neste caso, um rabo-de-arraia executado em sentido contrário à posição do aluno).

2ª) Rasteira dobrada na movimentação do jogo de baixo, procurando derrubar o aluno de costas para o chão.

3ª) Boca-de-calça executada com uma das mãos, na defesa e contra-ataque da meia-lua de costas.

4ª) Cabeçada de costas, visando atingir o queixo do aluno.

5ª) Tranca-rua na chamada de angola, aguardando a saída do aluno que prepara-se para executar o aú.

Seqüência de fotos no Solar do Unhão, em frente à capela onde, segundo a lenda, no século passado um padre foi assassinado no altar enquanto celebrava uma missa. Depois desse acontecimento trágico, a capela ficou fechada por mais de cem anos:

6ª) Meia-guarda de frente, amarrando o jogo na passagem da ginga.

7ª) Cabeçada de costas, na chamada de angola, desferida na altura do plexo solar do aluno.

8ª) Tesoura por dentro do rabo-de-arraia.

9ª) Ponteira presa por dentro da tesoura.

10ª) Boca-de-calça aplicada por trás, na chamada de angola, apanhando o aluno desprevenido.

11ª) Passo do siri na movimentação do jogo de baixo, no intuito de armar uma ofensiva.

12ª) Chamada no pé do berimbau, procurando surpreender o aluno com um movimento ofensivo, caso o mesmo aproxime-se sem o devido cuidado.

Seqüência de fotos no Solar do Unhão, na frente da antiga senzala, onde os escravos se recolhiam depois de um dia cansativo de trabalho e maus-tratos:

13ª) Contragolpe da tesoura torcida, tentando atingir o aluno com uma calcanheira no rosto.

14ª) Bloqueio da rasteira do aluno pelo mestre, na execução do rabo-de-arraia.

15ª) Boca-de-calça e cabeçada no plexo solar aplicados simultaneamente.

Seqüência de fotos na Rampa do velho Mercado Modelo, onde se formava antigamente uma roda de capoeira freqüentada pelos grandes nomes da capoeiragem baiana:

16ª) Compra de jogo, utilizando o braço para indicar o aluno que vai sair da roda.

17ª) Cabeçada por dentro do rabo-de-arraia.

18ª) Ponteira presa por dentro do rabo-de-arraia.

19ª) Rabo-de-arraia fechado aplicado por dentro da tesoura.

20ª) Execução pelo aluno do aú p0arado na bananeira, enquanto o mestre observa em posição defensiva.

21ª) Execução do aú giratório no cambaleão pelo aluno, com o mestre negaceando na posição de guarda.

Observação: Na capoeira angola, utilizam-se os membros superiores no ataque como forma de treinamento. Quando usados na roda, o que raramente acontece, devem ser apenas simulados ou em determinadas circunstâncias, aplicados com a mão aberta, jamais com o punho fechado, pois se assim o fizesse, estaria fugindo completamente das suas características originais. Com relação aos demais golpes, nunca é demais frisar, embora devam ser encaixados em certos momentos para forçar a defesa do camarada, toda atenção é pouca no sentido de evitar um acidente grave.

Situações de Luta

Esses movimentos são praticados em treinamentos secretos, visando a nossa defesa contra uma possível agressão por parte de adversários armados ou desarmados, em qualquer situação de perigo, como são apresentados nas seqüências.

Seqüência de fotos na Praça das Artes – Pelourinho:

1ª) Defesa contra abraço de tamanduá (agarrões) – Aplicar uma ponteira ou uma chapa de frente na altura das virilhas, no momento exato da aproximação do adversário. Caso o abraço se consuma, se for por trás, aplicar o golpe da aranha e uma pisada na canela; se for pela frente, fazer o gancho de perna e aplicar o golpe da aranha, procurando derrubá-lo no chão.

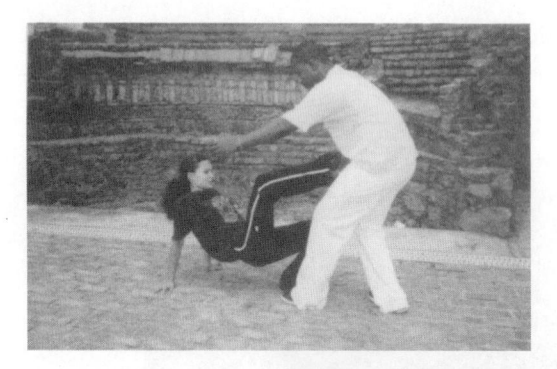

Seqüência de fotos no Solar do Unhão, vendo-se ao fundo a antiga invasão da Rocinha dos Marinheiros, considerada tempos atrás como um lugar perigoso e de má fama:

2ª) Defesa contra socos – Esquivar o corpo e desferir uma chapa de lado nas costelas ou um desprezo no rosto do adversário. Podemos ainda executar um nó do cão no sentido de colocá-lo fora de combate.

3ª) Defesa contra pisadas e pontapés – O capoeirista, como não poderia deixar de ser, tem várias defesas e contragolpes para neutralizar a ofensiva do adversário. Como exemplo, podemos citar a boca-de-siri e a entrada com os braços em forma de cruz, ambas levando o adversário a cair de costas no chão numa queda bastante perigosa.

4ª) Defesa contra faca – Procurar manter certa distância para desarmá-lo com segurança, fora do alcance da arma. Caso ele consiga aproximar-se e desferir o golpe com a faca, esquivar-se e defender-se com a cutila alta ou baixa, a depender da posição do braço do inimigo, podendo aplicar uma chapa solta ou uma ponteira nas virilhas, respectivamente.

5ª) Defesa contra facão – Esquivar-se e aplicar uma rasteira (corta-capim) no chão, se o golpe com a arma vier de lado; se vier de frente, negacear usando a cutila alta para modificar a trajetória do facão e desferir uma chapa na altura do joelho do inimigo, desequilibrando-o.

6ª) Defesa contra porrete – Se o inimigo levantar a arma e procurar atingi-lo de frente, no exato momento em que o mesmo levantar o braço para desferir a pancada, aplicar uma violenta cabeçada (foguete) no plexo solar. Caso a trajetória do ataque agressor vier de lado, negacear e entrar com uma banda por dentro, complementando o contra-ataque com uma cotovelada no plexo solar, derrubando-o de costas no chão.

7ª) Defesa contra navalhada – Enrolar um lenço de seda no braço para defender-se, pois este tipo de arma não corta a seda pura, movimentando-se constantemente nos passos da ginga, no jogo de cima, para confundir o inimigo e assim que o golpe passe, executar um martelo na sua perna, por trás do joelho, procurando desequilibrá-lo.

8ª) Defesa contra cabo de aço – Enrolar a camisa ou um lenço no braço para protegê-lo, deixando o cabo enrolar nele, puxando-o em seguida em sua direção ao mesmo tempo que desfere uma chapa de lado nas virilhas do inimigo.

9ª) Defesa contra pedradas – Utilizar os esquivamentos, os deslocamentos e o jogo de corpo, procurando enganar o inimigo, visando entrar na sua guarda com um golpe definitivo assim que a pedra for lançada. Se preferir correr, fuja em zigue-zague (treinar a defesa com uma pequena bola de borracha).

10ª) Defesa contra arma de fogo – No caso de um assalto, o mais prudente é manter o sangue frio, não reagindo. Havendo oportunidade, procure distrair o inimigo para golpeá-lo com menos risco, se o mesmo estiver com a arma em punho, pronto para disparar o tiro, podendo utilizar uma ponteira presa na mão que segura a arma. Caso ele não tenha ainda sacado, ao pressentir que ele vai puxá-la da cintura, encurte a distância que os separa e execute um golpe decisivo. Se houver chance, não hesite em fugir em zigue-zague para confundir a pontaria do inimigo.

11ª) Defesa contra faca ou facão no jogo rasteiro – Tentar defender-se através da movimentação da ginga, esperando o momento oportuno para contra-atacar, pois o fato do agressor saber usar a faca ou o facão evidencia o seu conhecimento na prática da capoeira angola.

Observação: Devido à complexidade dos detalhes, não foi possível mostrar, através de ilustrações, as posições executadas a seguir.

Principais Combinações de Golpes

Jogo de Baixo

Chapa de frente, rabo-de-arraia, martelo, chapa de costas, chapa giratória.

Jogo de Cima

Meia-lua de frente, meia-lua de lado, meia-lua de costas, rabo-de-arraia, martelo, chapa de lado, negativa, rolê.

Principais Repetições de Golpes

Quatro chapas, deslocamento e rabo-de-arraia
Quatro ponteiras, deslocamento e chibatada
Quatro martelos, deslocamento e chapa de costas

Contragolpes Básicos

Ponteira e cabeçada
Ponteira e meia-lua de lado
Ponteira e meia-lua de costas
Martelo e martelo
Martelo e cabeçada
Martelo e rasteira
Martelo, cotovelada e desprezo
Rabo-de-arraia e chapa de frente
Rabo-de-arraia e chapa de costas
Rabo-de-arraia e rabo-de-arraia
Chapa de frente e rabo-de-arraia rasteiro
Desprezo e banda por dentro

Seqüências Alternativas Básicas

Cutiladas, defesas de cutila alta, contra-ataques laterais e travas altas.

Cutiladas, defesas de cutila baixa, contra-ataques frontais e travas baixas.

Defesa de Cutila Completa

Alta, baixa, alta e alta, baixa e baixa, alta e baixa, baixa e alta, em série.

Manejo do Berimbau na Movimentação da Ginga

Ataque de frente com golpe frontal
Ataque de lado com golpe lateral
Ataque giratório frontal
Ataque giratório lateral
Ataque embaixo e em cima
Defesa em cima com esquiva
Defesa embaixo com esquiva

Ao concluir esta fase de ESPECIALIZAÇÃO, já considerado um capoeirista profissional, poderá permanecer no CCCTB ou ministrar aulas no seu próprio espaço, de acordo com a sua vontade e vocação, podendo assumir o cargo de PROFESSOR, caso o Mestre Geral determine, permanecendo ainda sob a sua supervisão.

Observações

1ª) O fato do aluno ou capoeirista ser avaliado pelo Mestre Geral em determinados itens, a exemplo da movimentação no jogo de cima e no jogo de baixo, ao concluir a fase de especialização, não impede que o mesmo aprenda esses mesmos movimentos durante as fases anteriores, o que certamente irá facilitar o seu desempenho na época certa, de acordo com a sua classificação.

2ª) Ao atingir a condição de capoeirista profissional e ainda assim sentir muita dificuldade em assimilar determinado movimento, deve abandoná-lo definitivamente, procurando aperfeiçoar aqueles que aprendeu. O que importa mesmo não é a quantidade de movimentos aprendidos, e sim a segurança e o equilíbrio na execução dos mesmos.

6ª FASE – PROFISSIONALIZAÇÃO
CAPOEIRISTA PROFISSIONAL PARA CAPOEIRISTA PROFISSIONAL COMPLETO

DOMÍNIO DE JOGO
DOMÍNIO DE BATERIA

Continuando a sua trajetória, visando alcançar mais um degrau importante na aprendizagem da angola, o capoeirista deverá passar por um período de PROFISSIONALIZAÇÃO, durante sete anos mais ou menos, aprimorando-se e acumulando conhecimentos relativos ao conjunto musical e ao jogo da capoeira angola, prestando, no final desta etapa, o seu penúltimo exame. Ao realizá-lo, o capoeirista deverá possuir pleno domínio musical na bateria, composta por três berimbaus: um gunga, um berra-boi e um viola; um ou dois pandeiros; um atabaque; um agogô e um reco-reco, definindo com clareza a função de cada um deles, demonstrando um conhecimento absoluto acerca dos citados instrumentos musicais e dos cânticos tradicionais da capoeira angola, devendo executar todos os toques do berimbau utilizados no CCCTB, ou seja: Angola Pequena, Angola Dobrada, São Bento Pequeno de Angola, São Bento Grande de Angola, Santa Maria, Amazonas, Idalina, Benguela, Yuna, Apanha a Laranja no Chão, Tico-Tico, Barravento, Estandarte, Sete de Ouro, Signo Salomão, Cavalaria e Samba de Angola, assumindo a direção da bateria durante três voltas consecutivas, orientando os seus integrantes para a formação de um grupo harmonioso e coeso, procurando desenvolver um ritmo perfeito dentro das normas da capoeira angola.

No que se refere ao jogo da capoeira, deverá prevalecer o seu equilíbrio corporal e o emocional frente a qualquer circunstância no andamento da roda de capoeira, onde deverá conhecer e desenvolver todos os tipos de jogos:

Jogo de Angola – Jogo propriamente dito, característico do nosso estilo: lento ou moderado; embaixo e em cima, a depender do ritmo do berimbau gunga, que comanda a bateria, permitindo ao aluno desenvolver bastante a sua criatividade. Entretanto, ele pode adquirir feições próprias dos demais jogos, de acordo com as circunstâncias e o comportamento dos praticantes. Acompanha este tipo de jogo os toques de Angola Pequena, Angola Dobrada, São Bento Pequeno de Angola e São Bento Grande de Angola.

Jogo dos Sete – Jogo combinado, de acordo com os sete conjuntos de seqüências e passagens tradicionais utilizados no CCCTB, objetivando principalmente disciplinar o aluno e aprimorar a sua técnica. Acompanha este jogo o toque de Sete de Ouro.

Jogo de Mandinga – Uma dança mandingueira, no dizer do Mestre Caiçara, onde os capoeiristas apenas simulam os golpes e as derrubadas, não devendo atingir o camarada, o que seria considerado falta grave, predominando o floreio (jogo de corpo), lembrando os passos do candomblé. Acompanha este jogo o toque de Santa Maria.

Jogo de Dentro – Jogo fechado e extremamente malicioso, em maior contato com o chão, desenvolvido dentro de um círculo pequeno, onde o camarada é obrigado a jogar próximo ao outro, proporcionando mais equilíbrio e exigindo muita atenção dos praticantes, que usam bastante as guardas com o intuito de amarrar o jogo, quando se sente ameaçado ou percebe a maldade no jeito do seu camarada vadiar. Acompanha este jogo o toque de Amazonas.

Jogo de Fora – Solto e franco. Devido a sua vulnerabilidade, só deve ser praticado entre camaradas da mesma escola, quando os golpes serão executados de forma correta e desenvolta, onde as derrubadas são evitadas ou executadas com bastante cautela, o que irá proporcionar um jogo de elevado índice técnico. Acompanha este jogo o toque de Idalina.

Jogo de Faca – Quando um dos camaradas porta uma faca ou outro tipo de arma branca e o outro procura defender-se na ginga, através das cutilas, das negaças e das passadas, contragolpeando com precisão. Acompanha este jogo o toque de Benguela.

Jogo de Rua – Parecido com o jogo de dentro, embora se desenvolva mais em cima, simulando uma briga, este utiliza apenas movimentos da capoeira tradicional. Geralmente usado como "prova", no teste de campo, deve ser praticado com bastante cautela, visando sempre a integridade física do seu camarada. Acompanha este jogo o toque de Estandarte.

Jogo do Lenço – Resgata uma antiga tradição da festa de Santa Bárbara (Yansã), realizada todos os anos, no dia 4 de dezembro, na Baixa dos Sapateiros, quando o dinheiro arrecadado na roda de capoeira era colocado dentro de um lenço vermelho, amarrado pelas pontas e colocado no meio da roda. A partir daí, os dois capoeiristas esforçavam-se, através de movimentos lentos e precisos, para impedir que o outro o apanhasse com a boca. Acompanha este jogo o toque de Apanha a Laranja no Chão Tico-Tico.

Jogo de Compra – Jogo mais rápido onde não se utiliza as chamadas de angola e permite a um camarada tomar o jogo do outro, antecedendo a finalização da roda de capoeira. Acompanha este jogo o toque de Barravento.

Jogo de Mestre – Jogo extremamente lento, obedecendo rigorosamente os rituais e preceitos da capoeira angola, exigindo um controle absoluto do corpo e da mente. Acompanha este jogo o toque de Yuna.

Observação: Com relação aos toques de Cavalaria, Signo Salomão e Samba de Angola, o primeiro é um toque de aviso. Antigamente, quando a capoeira era perseguida, servia para avisar aos capoeiristas da aproximação da Cavalaria da Guarda Nacional; o segundo é um toque de alerta, prevenindo os alunos e capoeiristas de um determinado grupo sobre a presença de elementos estranhos no terreiro; quanto ao terceiro, é usado para o acompanhamento do samba de roda e do samba duro.

Finalizando os jogos e correspondendo às expectativas do Mestre Geral, será classificado na condição de capoeirista profissional completo e receberá das mãos da madrinha do nosso Centro o seu DIPLOMA que lhe concede o direito de ministrar aulas por sua própria conta e risco, se assim for o seu desejo, exercendo o seu ofício em qualquer parte do território nacional e no exterior, recebendo também o título de CONTRAMESTRE, de acordo com a decisão do Mestre Geral, e, conseqüentemente, o direito de substituí-lo na sua ausência.

7ª FASE – FORMAÇÃO (do capoeirista)
CAPOEIRISTA PROFISSIONAL COMPLETO PARA CAPOEIRISTA FORMADO

CONHECIMENTOS CAPOEIRÍSTICOS
CONTRIBUIÇÕES CULTURAIS, SOCIAIS E/OU FILOSÓFICAS

Finalmente, depois de cumprir mais esta fase, durante o período de sete anos, aproximadamente, ratifica o seu conhecimento demonstrado em exames anteriores, adquire bastante experiência com o tempo, sempre "matutando" sobre o jeito de ser dos outros camaradas na roda e fora dela, e atinge a maturidade necessária para a sua FORMAÇÃO, alcançando assim a condição exigida para que possa participar do exame, coordenado pelo Mestre Geral do CCCTB.

Encontrando-se plenamente consciente de sua missão, para que possa ser avaliado pela última vez, deverá demonstrar um profundo conhecimento "capoeirístico", principalmente no que se refere aos fundamentos da capoeira angola, além de trabalhar em prol de sua arte, descobrindo a sua própria forma de ensino, baseada no que aprendeu, até agora, dando ênfase, contudo, às contribuições culturais, sociais e/ou filosóficas prestadas durante todos estes anos devotados à capoeira angola, formando alunos e procurando salientar também os benefícios educacionais e terapêuticos que a sua prática proporciona.

Na cerimônia de colação de grau, jogará no ritmo de Yuna com o Mestre Geral ou seu substituto, desenvolvendo o Jogo de Mestre na roda de capoeira. Ao final, receberá das mãos da nossa madrinha, como distinção, um "cordão de ouro" com uma medalha, tendo o seu nome de guerra nela gravado, em substituição à "argola de ouro", que antigamente premiava o mestre-capoeira, simbolizando a sua condição de capoeirista formado, constante no DIPLOMA, que lhe outorga o direito, igualmente ao capoeirista profissional completo, de ensinar capoeira angola em qualquer parte do mundo e, a depender da avaliação final do Mestre Geral, assumir o posto de MESTRE. A partir de então, não será mais exigida a habilidade no que tange à parte física e técnica da capoeira angola, tendo o capoeirista alcançado um nível de conhecimento bastante elevado, não havendo mais a necessidade de cobrança neste sentido, e sim em nível mental e espiritual, objetivando adquirir um controle total sobre a matéria, onde a sua visão com relação ao universo seja ampliada de tal forma que transcenda a limitada ótica da maioria das pessoas, levando-o ao encontro de uma realidade extrafísica.

Observação: O aluno ou capoeirista que não consiga ser aprovado em determinada fase de aprendizagem da capoeira angola, embora já tenha o tempo suficiente para ocupar o cargo correspondente, ficará impossibilitado de assumir o posto, embora ele possa, sempre a critério do Mestre Geral, prosseguir na nova fase, de acordo com a sua classificação.

Centro de Cultura da Capoeira Tradicional Bahiana
Fases de Aprendizagem e Classificação

1ª FASE – INICIAÇÃO
(aluno iniciante para aluno iniciado)
Requisitos: Movimentos da angola
           Jogo de angola

2ª FASE – ESTRUTURAÇÃO
(aluno iniciado para aluno adiantado)
Requisitos: Coro musical
           Toques do berimbau

3ª FASE – FORMAÇÃO (do aluno)
(aluno adiantado para aluno formado)
Requisitos: Aulas de capoeira
           Rodas de capoeira

4ª FASE – PREPARAÇÃO
(aluno formado para capoeirista amador)
Requisitos: Instrumentos musicais
           Cânticos tradicionais

5ª FASE – ESPECIALIZAÇÃO
(capoeirista amador para capoeirista profissional)
Requisitos: Movimentação no jogo de cima
           Movimentação no jogo de baixo

6ª FASE – PROFISSIONALIZAÇÃO
(capoeirista profissional para capoeirista profissional completo)
Requisitos: Domínio de jogo
           Domínio de bateria

7ª FASE – FORMAÇÃO (do capoeirista)
(capoeirista profissional completo para capoeirista formado)
Requisitos: Conhecimentos "capoeirísticos"
Contribuições culturais, sociais e/ou filosóficas.

REQUISITOS BÁSICOS PARA A FORMAÇÃO DO CAPOEIRISTA
(MESTRE-CAPOEIRA)

JOGAR – de acordo com as normas e tradições da capoeira angola, utilizando o floreio da ginga e sabendo defender-se contra inimigos armados ou desarmados.

TOCAR – os berimbaus (gunga, berra-boi e viola) e os demais instrumentos musicais que compõem a bateria da capoeira angola (pandeiro, atabaque, agogô e reco-reco), sabendo identificar a função de cada um deles.

CANTAR – as ladainhas, chulas e corridos tradicionais, de forma correta, demonstrando possuir pleno domínio no comando da bateria.

ENSINAR – a capoeira angola com disciplina, educação e respeito, ministrando aulas teóricas e práticas por um período mínimo de vinte anos, ressaltando sempre o aspecto espiritual e filosófico nela contidos.

FORMAR – alunos qualificados nas rodas de capoeira tradicionais da Bahia e preparados para fazerem qualquer tipo de jogo, quando necessário.

TRABALHAR – em prol da capoeira angola, divulgando a sua prática através de serviços prestados e reconhecidos pela comunidade "capoeirística".

PRESERVAR – a capoeira angola com os seus rituais e os seus preceitos, de acordo com os seus fundamentos.

Observação: Os requisitos acima citados visam principalmente condicionar os meus discípulos, para que mais tarde possam dar continuidade ao meu trabalho de preservação da capoeira angola.

CARGOS	FUNÇÕES
AUXILIAR	Ajudante do monitor.
MONITOR	Dá as primeiras lições de capoeira angola aos alunos iniciantes.
INSTRUTOR	Instrui na prática os demais alunos do Centro, inclusive com referência ao berimbau.
TRENEL	Treinador mais experiente, preparado para exercer a função.
PROFESSOR	Perito na prática da capoeira angola, abrangendo a parte musical.
CONTRAMESTRE	Imediato ao mestre.
MESTRE	Educador experiente, com alunos formados e trabalhos reconhecidos, além de conhecer os fundamentos da capoeira angola.

CENTRO DE CULTURA DA CAPOEIRA TRADICIONAL BAHIANA

MAPA DE ACOMPANHAMENTO

F A S E S	TEMPO		IDADE MÍNIMA		CLASSIFICAÇÃO	CARGO
1ª) INICIAÇÃO	6 MESES	v	7	ANOS	ALUNO INICIANTE	S/CARGO
2ª) ESTRUTURAÇÃO	6 MESES	v	7½	ANOS	ALUNO INICIADO	AUXILIAR
3ª) FORMAÇÃO (DO ALUNO)	1 ANO	v	8	ANOS	ALUNO ADJANTADO	MONITOR
			9	ANOS	ALUNO FORMADO	INSTRUTOR
4ª) PREPARAÇÃO	2 ANOS	v	11	ANOS	CAPOEIRISTA AMADOR	TRENEL
5ª) ESPECIALIZAÇÃO	3 ANOS	v	14	ANOS	CAPOEIRISTA PROFISSIONAL	PROFESSOR
6ª) PROFISSIONALIZAÇÃO	7 ANOS	v	21	ANOS	CAPOEIRISTA PROF. COMPLETO	CONTRAMESTRE
7ª) FORMAÇÃO (DO CAPOEIRISTA)	7 ANOS	v	28	ANOS	CAPOEIRISTA FORMADO	MESTRE

Observação: **no** quadro acima, a contagem de tempo não deve ser muito rigorosa, pois algumas pessoas conseguem, com certa freqüência, superar os mais antigos na aprendizagem da capoeira angola.

Capítulo V

Local de vadiação

Ao transportar-se dos terreiros para as academias, a capoeira perdeu muito dos seus antigos rituais e preceitos. Visando manter as suas tradições, dentro deste novo ambiente, tracei no chão de minha academia um local mais apropriado para a prática da capoeira angola, formado, a princípio, pelo TERREIRO, onde vamos encontrar o banco da bateria, utilizado pelos instrumentistas, e logo atrás o banco dos integrantes do coro musical.

Além do terreiro, vamos encontrar também o CAMPO DE MANDINGA, onde acontece a vadiação, dividido em três círculos, denominados círculos de fora, do meio e de dentro.

No círculo de fora, que representa o isolamento das energias de baixa vibração, encontram-se os dois pontos de saída, indicando os lugares onde os dois capoeiristas devem se posicionar antes do início da volta. Neste círculo, podemos fazer um tipo de jogo mais solto, proporcionando uma liberdade maior de ação que este tipo de treinamento exige. No círculo do meio, que é a roda de capoeira propriamente dita, podemos desenvolver qualquer tipo de jogo; e no círculo de dentro, o menor de todos, onde encontra-se o Signo de São Salomão, protetor dos capoeiristas, desenhado no centro, de grande importância no que se refere ao valor psicológico e ao fortalecimento da fé, símbolo da sabedoria (malícia), é mais apropriado para o desenvolvimento do jogo de dentro.

A área de vadiação deve possuir as seguintes dimensões:

Terreiro = 10 a 12 m²

Campo de mandinga = círculo de fora: 3,5 m de raio
círculo do meio: 2,5 m de raio
círculo de dentro: 1,5 m de raio

Observação: A iluminação deve ser colocada a uma altura mínima de 4 a 5 metros do solo.

RODA DE CAPOEIRA

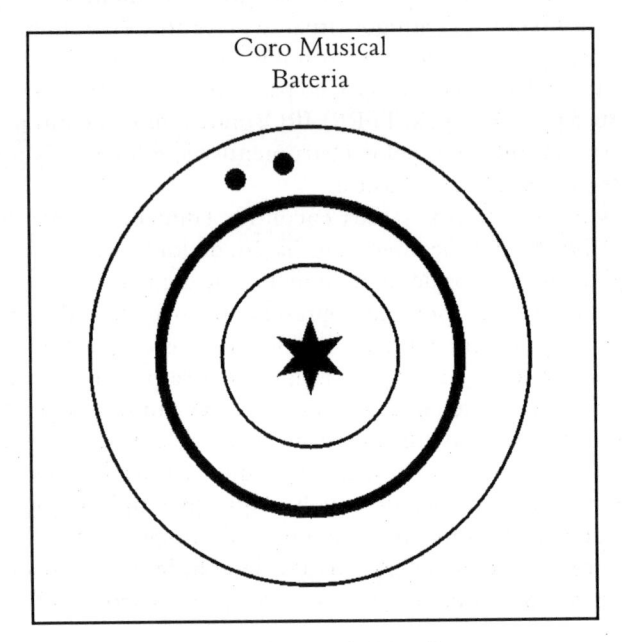

Terreiro e Campo de Mandinga

Capítulo VI

Reflexões filosóficas

Origem da capoeira angola: afro-brasileira.

As raízes da capoeira, sim, vieram da África, principalmente de Angola, oriundas de antigos rituais. Mas foi aqui no Brasil, inicialmente na Bahia, em solo fértil devido à escravidão, e em nome da liberdade, que ela foi cultivada e floresceu, mostrando toda a sua beleza.

A capoeira não é de Angola – Capoeira de Angola. A capoeira é angola – *Capoeira angola*. O estilo que nós, *angoleiros*, praticamos. Somos *angoleiros* e não angolanos. Jogamos a *capoeira tradicional bahiana*.

A capoeira nos seus primórdios não foi, como alguns pesquisadores afirmam, uma dança que posteriormente veio a se transformar em luta, e sim, pelo contrário, uma luta violentíssima que se disfarçou em dança para camuflar a periculosidade nela contida.

A nossa filosofia baseia-se na malícia (sabedoria) e na manha (falsidade), e se expressa através da malandragem (jogo de cintura), através do comportamento do capoeirista dentro e fora das rodas de capoeira, permitindo que ele aja com segurança nos momentos certos.

Do *trenel* ao *contramestre*, o capoeirista ensina o que aprendeu com o mestre. Este ensina o que descobriu por si mesmo.

O mestre deve ensinar ao aluno os primeiros passos da capoeira angola com a mesma dedicação de um pai que segura as mãos do filho e o ensina a caminhar pela primeira vez, procurando orientá-lo, de acordo com a sua experiência, não só no que se refere à parte do jogo na roda, mas também em várias circunstâncias da vida.

Nem todo mestre é um bom capoeirista e nem todo bom capoeirista é um mestre. Entende-se por mestre aquele que conhece os fundamentos da capoeira angola, visando, acima de tudo, o auto-aperfeiçoamento e o aspecto espiritual e filosófico de sua arte e não apenas o seu desempenho no jogo e na luta.

A violência da capoeira deve permanecer no íntimo do capoeirista, só se manifestando em situações extremas, em defesa da vida.

A capoeira deve ser disfarçada para ser praticada na presença dos nossos opositores, como disfarçaram os escravos africanos na vista dos seus senhores.

Executar os golpes de forma suave no momento do jogo ou marcar a distância para que possa aplicá-los com segurança, sem precisar atingir o camarada com deliberada violência.

Os verdadeiros capoeiristas estão se afastando das rodas de capoeira onde campeia a violência, pois os mestres que as comandam não possuem ao menos a condição básica para assumirem tal posto. Falta-lhes educação. Querem mostrar uma superioridade enganosa, procurando vencer a todo custo. Ao invés de jogarem *capoeira na roda*, lutam como *gladiadores na arena*. Os golpes espetaculares e os saltos mirabolantes são também bastante valorizados em detrimento da criatividade e da malícia dos antigos capoeiristas.

O perigo maior desse tipo de comportamento é a inversão de valores que fatalmente acabará acontecendo num futuro próximo, se não houver um trabalho de esclarecimento movido por todos os mestres que tenham um compromisso sério com a capoeira e com as entidades que dirigem o seu destino.

Enquanto o berimbau permanecer associado ao *jogo da capoeira* e for respeitado como deve, não haverá lugar para a violência.

Nas demonstrações públicas, apresentar o jogo de angola, utilizando todos os recursos disponíveis nos outros tipos de jogos, a depender das circunstâncias e do momento.

Evitar fazer movimentos bruscos no início do jogo, buscando aquecer adequadamente o corpo no desenvolvimento do jogo de baixo.

Permanecer o maior tempo possível, sempre que a situação permitir, na passagem da ginga, em posição de guarda, durante os jogos e treinamentos, objetivando o fortalecimento dos órgãos internos, além de prevenir lesões nos joelhos e proporcionar um melhor equilíbrio ao praticante da capoeira angola.

Quem está em busca dos fundamentos da capoeira angola não se contenta apenas com o seu lado material. Grande parte dos professores de Educação Física que ensinam capoeira, depois de alguns meses de aprendizagem dentro de uma faculdade, dão ênfase à ginástica preparatória de longa duração para compensar o pouco conhecimento que possuem.

Por mais paradoxal que possa parecer, determinadas pessoas, à medida que vão ampliando o seu horizonte de conhecimentos intelectuais, vão diminuindo a sua percepção sobre as coisas mais simples que a vida oferece, encontrando a maior dificuldade para aceitá-las. Assemelham-se às pessoas com certa deficiência visual, que conseguem enxergar longe, mas para visualizarem a curta distância, necessitam do auxílio de lentes corretoras. Se analisassem os ensinamentos recebidos com espírito crítico, e não com espírito de crítica, certamente encontrariam neles muitas respostas para as suas indagações.

Os capoeiristas menos experientes devem procurar os mestres mais antigos, de comprovado saber, para que mais tarde se tornem capacitados a exercerem o seu ofício com a sabedoria que o cargo exige.

Através de uma linguagem simples, o mestre Pastinha dizia grandes verdades. Assim sendo, procuro simplificar ao máximo a minha forma de ensino, transmitindo os meus conhecimentos com um linguajar muito próprio, adquirido em decorrência do convívio com os grandes capoeiristas do passado, tentando resgatar antigos costumes que considero de suma importância no que se refere ao comportamento do capoeirista tradicional e a preservação do estilo de angola com as suas características originais.

O nosso ensino caracteriza-se pela simplicidade dos seus movimentos, permitindo a qualquer pessoa, *dos sete aos setenta anos de idade*, a aprendizagem da capoeira angola.

Vadiar com bastante cuidado, evitando lesões que possam colocar em risco a integridade física do nosso camarada, independente do tipo de jogo que esteja desenvolvendo na roda de capoeira.

Jogar, tocar, cantar, ensinar, formar alunos, trabalhar em prol da capoeira angola e preservá-la de acordo com os seus fundamentos. Estes são os principais requisitos para a formação do capoeirista.

Fazer o *jogo* na roda, e não a luta, reservada para a defesa contra os nossos inimigos.

O verdadeiro capoeirista jamais toma a iniciativa de transformar o jogo em luta, respeitando sempre o ritmo do berimbau-mestre (gunga) e as normas da capoeiragem. A falta de conhecimento dos seus rituais e a desobediência às suas regras e preceitos são os principais fatores que desencadeiam a violência nas rodas de capoeira.

Jogo, dança e luta. O capoeirista deve saber exatamente o que está fazendo e o momento certo da mudança de uma condição para outra, a depender da necessidade.

O angoleiro deve se manter sempre na defensiva, principalmente na briga de rua, tendo o cuidado de colocar-se na posição de vítima diante das testemunhas.

Na defesa contra o inimigo, devemos ameaçar atingi-lo em determinado ponto, para que ele se preocupe demasiadamente em protegê-lo, permitindo a ofensiva em outro local.

O jogo da capoeira angola é semelhante ao jogo de xadrez, onde a *rasteira* e/ou a *cabeçada* são o xeque-mate do angoleiro.

A maioria dos golpes aplicados frontalmente, a exemplo da *chapa*, são bastante usados nas brigas de rua. No entanto, os giratórios são mais úteis nos contragolpes, principalmente quando executados na falsidade.

Os golpes da capoeira angola, quase sempre executados com moderação na roda de capoeira, são bastante perigosos quando usados na rua, contra os inimigos, desde que o praticante possua a experiência necessária para utilizá-los nesta circunstância, caso contrário, inverte-se a situação.

Quando todos os meus discípulos me afirmarem que sempre conseguiram contornar uma briga, quando o mais fácil seria partir para uma agressão física, terei a certeza de que estamos no caminho certo, rumo ao nosso objetivo maior de realização interior.

Não podendo evitar uma briga, fique calmo, concentre-se principalmente na defensiva, decidido e confiante no que aprendeu.

O capoeirista que nunca enfrentou uma arma não quer dizer que ele não saiba defender-se dela. E o fato dele saber todas as técnicas de defesa contra adversários armados também não quer dizer que ele esteja preparado para enfrentá-los. O que mais importa é o capoeirista conseguir manter a CALMA na hora do perigo. Possuir o autocontrole necessário para superar o medo.

O angoleiro não deve perder a sua identidade. Se for praticar outras modalidades de luta, adquira apenas algumas noções básicas, conservando a capoeira angola como o seu ponto de referência, a sua base.

Treinar bastante a *movimentação da ginga*, de grande importância na briga de rua e no jogo da capoeira.

Procure não ficar de costas para o adversário, a não ser na falsidade, visando pegá-lo desprevenido.

Primeiro eu ensino o golpe em toda a sua extensão, para liberar o movimento, e depois, com o tempo, as diversas formas de execução, maliciosamente, de acordo com o momento e as circunstâncias.

No jogo de baixo, visar sempre a cabeça do camarada, obviamente tomando os devidos cuidados para não machucá-lo.

Quando for fechado no jogo, procure não forçar a saída utilizando a força física, uma vez que, no nosso estilo, este tipo de ação é considerada superficial. Tente desfazer a trama e dê continuidade a nossa "brincadeira" de angola.

A rasteira é um movimento de derrubada bastante simples na sua aprendizagem e ao mesmo tempo complexo na sua execusão, devendo ser aplicada sutilmente, evitando assim o chute ou pontapé na canela do camarada, o que evidencia a falta de técnica do executor.

Também não se deve aplicar rasteiras violentas quando o camarada estiver apenas com um pé apoiado no chão, no exato momento da execução de um golpe, pois a queda resultante deste tipo de derrubada é uma das mais perigosas, podendo machucar seriamente a pessoa, mesmo as que já praticam capoeira.

A finalidade da rasteira e dos demais movimentos desequilibrantes no jogo da capoeira angola é levar o camarada ao chão, encostando o corpo, o que caracteriza a derrubada, e não a negativa, em qualquer uma de suas quedas, o que evidencia a defesa.

Portanto, quando o camarada encontra-se desenvolvendo o jogo de baixo, não há porque tentar arrastá-lo a todo custo e a todo instante, mesmo que ele desfira um golpe, pois o mesmo encontra-se apoiado no solo, com o auxílio dos pés e das mãos. Procedendo assim, o outro camarada só faz atrapalhar o jogo.

Treinar a cabeçada no espelho, para adquirir o controle do movimento e conservar os olhos abertos na sua execução.

Quando estiver vadiando próximo a seu camarada, procure fechar bem a guarda e utilizar o floreio, com a finalidade de iludi-lo e fazer com que ele se torne vulnerável.

Para se conhecer o verdadeiro potencial de um capoeirista, é necessário vê-lo atuando em diversas situações: nas academias, nas rodas de rua, nos treinamentos ocultos e na briga de rua, defendendo-se dos inimigos, armados ou não.

Antes do início do jogo, no pé do berimbau, durante a entoação do cântico da ladainha, o praticante da angola deve se concentrar e fazer as suas orações, procurando assimilar as vibrações positivas contidas no ambiente, pedindo a proteção do seu guia espiritual, do seu santo protetor ou dos seus orixás.

Também quando se sentir ameaçado na roda de capoeira, vá até o pé do berimbau, faça o sinal da cruz pedindo a sua proteção e a do seu camarada e retorne fazendo o jogo de dentro, independente do ritmo da bateria.

Quando o aluno estiver na dúvida sobre qual defesa utilizar para livrar-se de um golpe desferido pelo seu camarada, passe para o jogo de baixo e desfira imediatamente um contragolpe, de acordo com a necessidade do momento.

Se eu sei golpear de várias formas diferentes, só devo aplicar uma ou duas formas em cada volta. E os golpes de fé, geralmente violentos, só nas horas de extremo perigo, em última instância, sempre em defesa da vida.

Algumas pessoas do nosso meio costumam criticar o estilo de jogo um do outro, ou porque levantam muito a perna ou, pelo contrário, não costumam levantá-la acima da linha da cintura, e outros comentários desta natureza. Se estas pessoas refletissem sobre este tipo de atitude com isenção da vaidade, própria do ser humano atrasado evolutivamente, por certo chegariam à conclusão óbvia da pobreza, em termos de criatividade, que seria se todos nós praticássemos um mesmo estilo; e que esta condição diversa é que dá origem à riqueza dos detalhes presente nas rodas de capoeira, onde o ego dos capoeiristas se manifesta através dos seus movimentos corporais, demonstrando que jogar capoeira é um estado de espírito e que a emoção é o seu componente essencial.

A roda de capoeira é um espelho da vida que reflete as armadilhas do cotidiano e onde o exercício da falsidade tem como objetivo vencer nossos inimigos.

No nosso estilo, procuramos desenvolver o jogo com bastante equilíbrio dentro da ginga, utilizando movimentos lentos, alternando com alguns lances rápidos e de explosão, de acordo com a situação, onde a malícia predomina sempre.

As seqüências nunca foram uma exclusividade da capoeira regional, mesmo porque seria impossível ensinar capoeira sem a utilização delas. A diferença é que o mestre Bimba, ajudado por alguns dos seus alunos, foi o primeiro a colocá-las no papel, em letra de forma.

O ensino dos sete conjuntos de seqüências e passagens tradicionais utilizados no CCCTB tem como objetivo aprimorar a condição física, técnica e despertar a criatividade dos meus alunos, além de discipliná-los e integrá-los ainda mais no grupo, exercitando o companheirismo, quando o empenho dispendido para a aprendizagem dos mesmos vai demonstrar toda a sua dedicação ao Centro e a confiança depositada no seu mestre.

Procuro sempre formar as duplas para o treinamento dos conjuntos citados ao longo do livro, de acordo com o nível técnico dos alunos, substituindo-os de acordo com o tempo, levando sempre em consideração a afinidade existente entre eles.

A capoeira, até o final da década de sessenta, envolvia uma série de rituais, que lhe dava um aspecto mágico, dentro da atmosfera mística da cidade da Bahia. O capoeirista tinha uma filosofia de vida muito própria, fundamentada na malícia, na manha.

Pela ginga maliciosa e descontraída, pela manha, pela calma, segurança e equilíbrio no ataque e na defesa, além dos conhecimentos acerca dos rituais e das tradições da capoeira angola é que se conhece o verdadeiro angoleiro.

O aluno, a partir do primeiro ano de aprendizagem, deve passar a freqüentar e aos poucos começar a participar das rodas de capoeira tradicionais da Bahia, no intuito de adquirir a experiência necessária para a sua formação.

O angoleiro deve ser um conhecedor da mandinga, permanecendo sempre com o seu corpo fechado, através do equilíbrio dos seus campos energéticos, adquirido principalmente pelo controle emocional dos seus pensamentos e atos, fortalecendo a sua fé através de amuletos e orações, buscando sempre o seu desenvolvimento espiritual.

O que importa, na verdade, é o conhecimento dos fundamentos da capoeira angola, com seus rituais e preceitos, além do misticismo que a envolve. Sem isto, a capoeira perde totalmente o sentido, onde a técnica passa a superar a criatividade, deixando assim de ser uma forma de expressão maior do capoeirista.

No final da década de setenta, a capoeira regional tomou um impulso muito grande e a capoeira angola ficou ameaçada de extinção, sendo necessária uma postura bastante radical dos angoleiros, quando fomos muito criticados por isso. No entanto, quando a balança pende muito para um lado, devemos nos situar no outro extremo para alcançarmos o EQUILÍBRIO.

Atualmente, podemos encontrar diversos treineis, professores, contramestres e mestres componentes de um mesmo grupo de capoeira, o que não acontecia antigamente. O que ocorre hoje em dia é que muitos estão confundindo CARGOS com CLASSES. A classificação era dada de acordo com o tempo e a capacidade técnica; enquanto que as posições, que só podiam ser ocupadas por, no máximo, dois capoeiristas, além do tempo e da capacidade técnica, dependiam da confiança que o mestre geral depositava na pessoa, sendo este o requisito principal.

A capoeira moderna é semelhante a uma mulher jovem e bela que naturalmente empolga quem a vê, embora seja completamente vazia na sua essência. Enquanto a capoeira antiga, tradicional, assemelha-se mais a uma mulher simples, do povo, que não ressalta à primeira vista, e no entanto possui uma beleza mais verdadeira, interior, que só as pessoas com a sensibilidade mais aguçada conseguem perceber de imediato.

Ninguém é dono da verdade absoluta. A capoeira sofre um processo de criação constante e cabe a nós, mestres, extrairmos o que existe de melhor dentro das diversas formas de ensino, procurando enriquecer cada vez mais a nossa arte, adequando-a aos nossos objetivos e tendo o cuidado para sabermos separar bem o "joio do trigo", eliminando todos os movimentos estranhos a nossas raízes, que a descaracterizam, acrescentando e conservando os que estiverem de acordo com as nossas tradições. Não é nenhuma vergonha ou sinal de ignorância copiarmos o que tem valor, muito pelo contrário, é um sinal de sabedoria.

O capoeirista deve saber viver de acordo com a época e a circunstância. Às vezes, o que antigamente era considerado um comportamento malicioso, a exemplo de passar despercebido para não ser reconhecido como capoeirista, devido à perseguição que nos era imposta, hoje em dia, em determinados momentos, procedendo assim, estaremos cometendo um erro, pois as oportunidades que poderão surgir serão dadas a outros que se colocarem em evidência.

Considero de suma importância um bate-papo informal do pretenso aluno com alguns mestres, antes de escolher aquele que será o seu mentor.

Atualmente, o aluno troca de mestre como se muda um traje, literalmente. Com esse comportamento, ele ingenuamente pensa que vai adquirir maiores conhecimentos, o que não é verdade, muito pelo contrário. Assim que o mestre descobrir que o aluno já passou por várias academias, não se firmando em nenhuma delas, certamente não passará os seus conhecimentos, até ter a certeza de que o aluno já encontrou o seu caminho.

Os capoeiristas do passado nunca tiveram um traje padronizado, mesmo porque nas condições em que se encontravam, primeiro como escravos e depois como foras-da-lei, não seria muito malicioso da parte deles se usassem uma indumentária que os identificasse. No entanto, a partir do início do século XX, por volta de 1920, o traje branco completo, de linho ou diagonal, passou a ser o preferido pelos mestres-capoeira da Bahia e tornou-se uma tradição, enquanto o traje amarelo e preto era adotado pelo Mestre Pastinha em 1941, para ser usado pelos alunos e capoeiristas do CECA, objetivando integrá-los definitivamente na sociedade.

No meu modo de ver, estes dois períodos da nossa história é que devemos relembrar, mantendo a tradição, e não o tempo da opressão, quando os capoeiristas eram perseguidos e sofriam as piores humilhações, praticando a capoeira às escondidas, com a roupa suja e quase sempre rasgada, não por vontade própria, e sim pela condição miserável em que viviam. Portanto, todos nós que amamos a capoeira e respeitamos o nosso semelhante, devemos procurar esquecer esta triste época, a não ser para servir de exemplo ao nosso povo, quando a capoeira teve um papel relevante na luta contra a escravidão.

O traje branco completo tem um significado muito especial e só os capoeiristas formados, que galgaram um patamar superior no meio "capoeirístico", atingindo a posição de MESTRE, é que deveriam usá-lo.

Adotei as cores amarela e preta na indumentária dos alunos e capoeiristas do CCCTB, simbolizando a minha condição de discípulo do Mestre Pastinha e fiel seguidor de sua obra, tendo o seu ensino como referência para o meu trabalho.

Na Academia do Mestre Pastinha, filho de um espanhol e de uma negra baiana, como não poderia deixar de ser, nunca houve problema de racismo. Lá conviviam brancos, mulatos e negros na maior harmonia. Embora eu acredite que aqui na Bahia não exista esta divisão, e sim uma mistura de raças, com a cor da pele diferenciada. Ao contrário do que deveria ser, vejo algumas pessoas se dividindo para combater o racismo. Na minha opinião, o problema do preconceito racial deve ser combatido por todas as pessoas, independente da cor da pele ou da raça, irmanados, lutando por um mesmo ideal. Separá-las para resolverem os seus problemas entre si é incorrer num grande erro, desde quando todos nós sabemos que existem pessoas que renegam a sua própria ascendência, pois o problema não está na cor da pele, e sim na mente e no espírito de cada indivíduo.

A capoeira não tem um só dono, nem uma só cor. Ela nasceu na Bahia, portanto, tem todas as cores do mundo e pertence a todos aqueles que a têm na alma e no coração.

Nas chamadas de angola, o capoeirista que atende deve aproximar-se com bastante atenção para não ser surpreendido com uma "falsidade". Ao passar por uma rua escura e alguém o chamar para acender um cigarro, por exemplo, não se aproxime; diga que não fuma e siga em frente. Entretando, se for extremamente necessária a sua aproximação, avance com todo o cuidado, preparado para tudo, da mesma forma que procederia ao atender a uma CHAMADA DE ANGOLA.

Os fatos que mais contribuíram para a descaracterização da capoeira nos últimos tempos foram, em primeiro lugar, a formação de conjuntos folclóricos para exibições em casas de espetáculos e palcos teatrais, com objetivos puramente comerciais, onde procuravam impressionar a platéia com movimentos característicos da ginástica acrobática. Em segundo lugar, a infiltração de praticantes de outras modalidades de luta, quando passaram a compará-las com a capoeira, incorporando-lhe novos golpes sob o pretexto de modernizá-la, sem possuirem o mínimo de conhecimento sobre os seus reais fundamentos.

Como conseqüência desses fatos, surgiram dois tipos de comportamento nas rodas de capoeira. O primeiro, em desacordo com os seus antigos preceitos e o segundo completamente vazio, onde a vitória, através da violência desenfreada, tornou-se o principal objetivo.

Às vezes, uma frase ridícula, dita com convicção e seriedade aparente, soa com firmeza e é aceita por muitas pessoas como uma grande verdade. O capoeirista deve saber identificar a mentira e a verdade para não ser enganado.

O mestre também erra. Cobra-se muito do mestre, esquecendo-se que ele também é humano e, portanto, passível de cometer erros e, como todo mundo, vive na luta constante pela sua evolução. Contudo, o importante é termos a nossa consciência tranqüila, assumindo interiormente os nossos atos, de acordo com uma ética superior (cósmica), procurando melhorar sempre na busca da verdade absoluta que nos liberta, mesmo sabendo da nossa insignificância atual neste estágio evolutivo.

O verdadeiro angoleiro não faz capoeira, e sim vive capoeira. Portanto, não tem pressa.

Não importa quantas vezes eu caia, e sim a certeza de levantar sempre com a firme convicção de continuar lutando, em busca dos meus ideais e da minha completa realização. Certo de que a melhor ajuda que posso receber vem de mim mesmo, do meu esforço de crescimento, que me proporciona o conhecimento. A determinação é fundamental no comportamento do capoeirista, dentro e fora das rodas de capoeira.

Os falsos sentimentos morrem; os verdadeiros sobrevivem, além da morte, numa outra vida. O capoeirista deve saber identificá-los, para agir com sabedoria no momento certo de avaliar estes sentimentos.

Ao punir um homicida com uma sentença de morte, estamos incorrendo no mesmo erro do assassino. Ninguém tem o direito de tirar a vida do seu semelhante propositalmente, mesmo porque está impedindo a marcha evolutiva deste indivíduo. O capoeirista deve evitar os sentimentos negativos, a exemplo do ódio e da vingança, que são os sinais mais evidentes da ignorância do ser humano.

A melhor fórmula que encontrei para entender melhor o meu oponente, evitando uma atitude precipitada e agressiva, foi me colocando em seu lugar antes de criticá-lo, o que me permite assumir uma postura mais serena. Será que eu não agiria da mesma forma se fizesse parte de sua geração? Ou se houvesse passado pelas mesmas experiências? Será que uma pessoa hoje cometeria os mesmos erros de anos, meses, semanas, dias, horas, minutos ou até mesmo segundos atrás, quando sabemos que todos os seres vivos estão em constante evolução?

Portanto, ao invés de julgarmos os outros, o que poderá gerar aversão ou mesmo *ódio*, o pior dos sentimentos, juntamente com o *medo*, principalmente para os adeptos da capoeira angola, será bem melhor meditarmos antes sobre o assunto, o que nos conscientizará da nossa imperfeição, levando-nos a perceber a quantidade de erros que cometemos e relevamos durante toda a nossa vida e que tanto criticamos nos outros, quando deveríamos compreender que esses mesmos erros são a mola propulsora da humanidade e de fundamental importância para a nossa evolução, lembrando sempre que o exercício do fraternalismo foi o principal ensinamento que Jesus Cristo pregou aqui na terra.

Quando compreendermos que o nosso inimigo, mesmo tentando nos derrotar, está nos ajudando, embora inconscientemente, na nossa escalada evolutiva, não sentiremos mais ódio.

Ao ser indagado sobre a existência de Deus, algo inimaginável e que se encontra muito além do alcance da nossa limitada mente humana, e desta forma impossível de ser comprovada cientificamente, respondo que acredito na FORÇA INTERIOR que todos nós possuimos, e que o AMOR FRATERNO, incondicional e extensivo a todos os seres vivos, seja o objetivo mais importante a ser alcançado na vida.

Desta forma, se Deus realmente existe e se encontra no INTERIOR de cada um de nós, e sendo Ele o AMOR, visto de forma integral e absoluta, tenho certeza de que seja esta a melhor maneira de acreditar em sua existência e de amá-lo verdadeiramente.

Cada ciclo evolutivo corresponde a sete anos de vida. Cada ciclo que fica para trás corresponde a mais uma etapa vencida. O mesmo acontece com referência ao ensino da capoeira angola no CCCTB, nas suas diversas fases de aprendizagem, até o capoeirista atingir o posto de mestre, quando assume a liderança do seu grupo e, conseqüentemente, uma grande responsabilidade perante os seus comandados, onde a sua condição de educador fica mais em evidência, tornando-se a sua principal tarefa.

Todas as correntes científicas, filosóficas e religiosas pregam muitas verdades. Mas nenhuma delas conhece a verdade absoluta.

O mestre deve ser um capoeirista experiente, com plena consciência de sua função, profundo conhecedor dos fundamentos da capoeira angola e que sempre trabalhou a favor de sua arte, lutando pela sua preservação e procurando ressaltar os benefícios terapêuticos que a sua prática proporciona.

Costuma-se afirmar que "a felicidade encontra-se dentro de nós mesmos". Acredito que sim. Mas, como realizar esta busca? Na verdade, ela é inacessível à maioria das pessoas deste planeta. Jamais alguém poderá ser realmente feliz se não adquiriu ainda o conhecimento espiritual, mesmo de forma inconsciente, e conseqüentemente o amor fraternal, extensivo a todas as criaturas do universo.

Como encontrar a felicidade dentro de si mesmo se o interior estiver vazio? Será preciso, antes de tudo, preenchermos esta lacuna através do processo de desenvolvimento da consciência e desta forma termos acesso às faculdades paranormais, inerentes a todos nós, o que certamente levará a pessoa ao entendimento de todo o processo evolutivo do ser vivo. A partir daí, nascerá espontaneamente o amor fraterno, fruto da compreensão e do amadurecimento, quando a criatura passará a entender o verdadeiro sentido da vida. A partir de então, ela poderá iniciar a sua busca, que está associada primeiramente ao círculo de pessoas de sua convivência, e depois, de uma forma mais ampla, a todos os seres da natureza, indistintamente. Só assim a realização pessoal, tão almejada por todos nós, será alcançada de maneira plena e definitiva.

Na condição de mestre, procuro ensinar aos meus alunos com muita devoção, destituído de qualquer preconceito, passando todo o meu conhecimento, de acordo com o tempo, a vontade, a capacidade de assimilação e o grau de conhecimento de cada um deles, lembrando sempre que o aspecto espiritual é de suma importância na formação do capoeirista. Acredito que seja esta a minha principal missão aqui na Terra e vou procurar cumpri-la da melhor maneira possível, até o fim desta minha vida.

Mestre é aquele que tem plena consciência do seu caminho. Sábio é aquele que já começou a percorrer este caminho. Iluminado é aquele que chegou ao fim do caminho, alcançando o estágio de consciência livre.

Capítulo VII

Considerações finais

O Mestre Pastinha costumava dizer que "a melhor defesa que existe é não se envolver em conflitos", no que concordo plenamente. Conheço diversas pessoas, inclusive capoeiristas afamados, que apesar da idade avançada, sempre viveram em paz, sem nunca terem utilizado a capoeira como luta e sem jamais terem sofrido uma agressão, o que para eles é motivo de orgulho.

Acredito que, no mundo em que vivemos, onde predomina a maldade, e como conseqüência dela a violência, fruto da ignorância de grande parte das pessoas sobre o verdadeiro sentido da vida, precisamos nos prevenir da melhor maneira possível para que possamos nos defender, na hora do perigo, contra os inimigos. Caso contrário, estaremos bancando o cordeiro no meio dos lobos.

Diante desta realidade, acho que todo capoeirista deva circular nos bons e nos maus ambientes, para que possa adquirir a experiência e, conseqüentemente, a malandragem (esperteza) necessária à sua formação. Conhecer a maldade e não fazer uso dela. Este é um dos nossos principais objetivos. Aí é que reside o mérito. Ter o conhecimento do mal e conservá-lo no seu íntimo, não permitindo que ele se manifeste.

O importante é possuir o devido conhecimento para neutralizá-lo com antecedência, no momento certo, se for preciso. Na verdade, o mais difícil é ser provocado e conseguir dar uma negativa, recuar, não por covardia, e sim pela consciência do prejuízo que esta atitude poderia acarretar para o seu oponente e para si mesmo.

Apesar da capoeira angola, na sua forma de luta, conter todos os elementos de defesa e ataque necessários para serem utilizados em qualquer situação, todos nós sabemos que nenhuma luta é completa. Todas elas, sem exceção, possuem o seu ponto vulnerável.

A capoeira, sem sombra de dúvidas, é imbatível com os pés. Senão vejamos: qual o lutador de outra modalidade de luta que enfrentaria um capoeirista, em condições semelhantes, onde o regulamento só permitisse o uso dos pés na execução dos golpes? E quanto ao *boxeur*, qual o lutador que o enfrentaria, nas mesmas condições anteriores, onde só fosse permitido o uso das mãos na aplicação dos golpes? Da mesma forma com as lutas que utilizam a técnica dos golpes ligados, a exemplo do jiu-jitsu, qual o lutador que enfrentaria um praticante desta modalidade de luta, onde o regulamento só admitisse o combate corpo a corpo?

Na verdade, como foi dito anteriormente, todas elas têm as suas limitações. A capoeira é uma luta de rua. Vence principalmente através da malícia, na falsidade, e não poderá jamais sujeitar-se a regulamentos, próprios de competições em cima de um ringue.

Quanto ao boxe, assim como a capoeira, não combina com os agarrões característicos das lutas por aproximação. E com relação ao jiu-jitsu e as demais lutas do mesmo estilo, possuem menos recursos que as duas primeiras citadas quando se trata de enfrentar mais de um adversário, pois ao segurar um deles, o lutador ficará totalmente vulnerável com relação aos demais atacantes, que poderão agredi-lo livremente. Além disso, existe o perigo das dentadas nos pontos sensíveis e das estocadas com instrumentos perfurantes, para citar apenas alguns recursos, obviamente proibidos nas competições esportivas, mas muito utilizados nas brigas de rua, o "vale tudo" de fato, onde toda alternativa é válida, na ânsia de libertar-se de uma situação de perigo.

Certa feita, conversando com o Mestre Pastinha, perguntei-lhe o que achava da minha pretensão em aprender boxe, ele me respondeu que "o capoeirista é um curioso", querendo dizer com isto que todo conhecimento é importante. Acrescentando: "o capoeirista deve procurar aprender um pouco de tudo, embora a sua base deva permanecer na capoeira angola, que é a mãe de todas as lutas", evitando assim, acredito eu, perder a sua identidade.

É muito importante que o capoeirista utilize todas as alternativas possíveis visando o seu aperfeiçoamento, inclusive no que se refere à parte da luta, entretanto, deve estar atento para não incorrer num erro gravíssimo, que muitos capoeiristas despreparados e até mesmo alguns mestres estão cometendo. O fato de nos prepararmos para uma possível agressão não quer dizer que estes treinamentos devam ser realizados abertamente, para todos presenciarem, e muito menos a utilização de movimentos de outras lutas nas rodas de capoeira, ao som dos berimbaus e dos demais instrumentos musicais que compõem a bateria. Assim sendo, seria caracterizado como um desrespeito para com os participantes da roda e com o público assistente, e principalmente com o mestre maior da capoeira: o berimbau, que comanda e dita o ritmo.

Desta forma, a música e os cânticos tradicionais, além dos rituais e dos preceitos, perderiam o sentido e deixariam de ser capoeira para se transformar em outra modalidade de luta. Neste tipo de procedimento, o maior culpado é o mestre que comanda a roda e que deveria ter consciência do que realmente ele se propõe a ensinar. Se ele insiste em misturar a capoeira com outras lutas, deveria então, pelo menos, ter a honestidade de mudar o nome da modalidade que pratica e naturalmente deixar de utilizar os instrumentos musicais e os cânticos que caracterizam o acompanhamento do *jogo* na roda, e não da luta, reservada para a defesa contra nossos inimigos, pois desta forma não estaria enganando aquele que desejasse realmente aprender a capoeira.

Concluindo, na minha opinião, o *lutador de capoeira* deveria ter noções de boxe e de jiu-jitsu. Na capoeira, o forte são as movimentações da ginga, os golpes desferidos com os pés e com a cabeça, além da rasteira e, principalmente, o conhecimento da malícia, que é uma das suas características inconfundíveis, principalmente no estilo de angola; no boxe, todos nós sabemos que o forte são os socos e as esquivas, além do jogo de pernas; e no jiu-jitsu, os golpes ligados, principalmente quando conseguem levar o adversário ao chão. Portanto, a deficiência de cada uma delas é suprida perfeitamente pelas outras, tornando, a meu ver, o lutador, estando bem preparado, quase imbatível. Contudo, se apesar dele possuir todos estes atributos, não tiver ainda o conhecimento devido para superar o medo e outros sentimentos negativos, geradores de quase todos os infortúnios na vida do ser humano, nada disto será o bastante para conseguir o seu objetivo que, a princípio, deve ser a vitória sobre si mesmo. Só assim ele conseguirá enfrentar qualquer situação de perigo com serenidade e confiança, até mesmo aceitando uma possível derrota como parte do processo de aprendizagem.

Capítulo VIII

Última página:
a vida material e espiritual é ajustada ao sete

A idade da razão é alcançada aos sete anos de idade. Duas vezes sete, ou quatorze anos de idade, é a época da puberdade. *Três vezes sete, ou 21, é a maturidade física. Aos 28 anos começa a maturidade mental.* O período orbital de saturno, que dura 28 anos, e suas frações trimestrais, sincronizam com os ciclos de sete anos de nossas vidas. Com 35 anos de idade alcançamos novo nível de criatividade e maturidade, enquanto Saturno completa o primeiro quarto de seu segundo ciclo desde o nascimento.

Os felinos são considerados "bichos de sete fôlegos".

O mês está dividido em semanas de sete dias, influência da lua que governa as marés, o ciclo menstrual, as miríades, os movimentos dos cardumes de peixes, a época do plantio e das colheitas.

Os astrólogos babilônicos construíam seus observatórios astronômicos com sete andares. Os antigos tinham algumas boas razões para acreditar nos sete administradores do céu. Os primeiros cristãos referiam-se aos sete espíritos diante do trono. Os mais antigos astrólogos falavam nos sete gênios planetários e os maometanos no sétimo céu e nos sete arcanjos. Por que há sete pecados mortais? Na música, há sete graus diatônicos. Geograficamente, há sete mares e as sete colinas da antiga Roma. E o que dizer dos sete contra Tebas dos gregos? A bíblia fala do sete: "Ele tinha à sua mão direita sete estrelas". Em Jó, os sete filhos de Deus criaram o universo.

Jesus Cristo disse que não devemos perdoar apenas sete vezes, porém setenta vezes sete.

Na capoeira angola, segundo o Mestre Pastinha, os golpes básicos são em número de sete. Os conjuntos de seqüências e passagens tradicionais utilizados no Centro de Cultura da Capoeira Tradicional Bahiana são também em número de sete, assim como os toques fundamentais. Da mesma forma os instrumentos musicais que compõem sua bateria. Sete também são os requisitos para a formação do capoeirista, que de sete em sete anos completa mais uma fase de aprendizagem, até atingir a condição de mestre.

Este livro foi impresso em abril de 2010, no Armazém das Letras Gráfica e Editora, no Rio de Janeiro, para a Pallas Editora.
O papel de miolo é o offset 75g/m² e o de capa é o cartão 250g/m².